LE BON DIEU
EN CULOTT' DE
V'LOURS

Du même auteur

De saumure et d'eau douce, poèmes et chansons, 1981, éditions Marées Basses.

D'arboutardes en Marées, poèmes et chansons, 1982, éditions Marées Basses.

Au large de l'espoir, poèmes et chansons, 1985, Chau éditeur.

La saison des quêteux, nouvelles, 1986, éditions Leméac.

Entre le verbe et le patois, poèmes et chansons, 1986, éditions Marées Basses.

La lune dans une manche de capot, nouvelles, 1988, Guérin littérature.

De visages en vies sages, Daniel Miller / Sylvain Rivière, poèmes et photos, 1988, éditions Marées Basses.

Les palabres du vieux Procule à Désiré, monologues, 1988, éditions Le Radar.

Qu'importe le flocon... Procule II, monologues, 1989, éditions Le Radar.

Sonnets du temps qui court, Daniel Miller / Sylvain Rivière, poèmes et photos, 1989, éditions Marées Basses.

«Aller-retour au pays des mémoires», in *L'almanach littéraire gaspésien*, 1988, Guérin littérature.

La s'maine des quat'jeudis, nouvelles, 1989, Guérin littérature.

SYLVAIN
RIVIÈRE

LE BON DIEU
EN CULOTT' DE
V'LOURS

Nouvelles

GUÉRIN
littérature

© Guérin littérature, 1990
4501, rue Drolet
Montréal (Québec)
H2T 2G2

Dépôt légal: 1er trimestre 1990
ISBN-2-7601-2389-8

Bibliothèque nationale du Québec
Bibliothèque nationale du Canada

IMPRIMÉ AU CANADA

Illustrations de
Stéphane Poulin
Prix du Gouverneur général
de l'illustration francophone 1990.

Table des matières

À l'oiseau qui m'a réenfanté...

S.R.

Le bon Dieu en culott' de v'lours

«J'aime ces voyages à rebrousse-poil
jusqu'à la source d'inspiration»...
Pierre Perreault

Qui peut nous renseigner mieux que nos sens?
Lucrèce

Il se nommait Cocagne, cet être mystérieux, envoûtant, pour qui les sens n'avaient point de secret, si bien que certains, ignorance oblige, le qualifiaient de sorcier, d'idiot, de charlatan.

C'est avant tout parce que Cocagne, contrairement au commun des mortels, était si tant proche de la nature, des animaux et des humains, ces coriaces à deux pattes, qu'il avait développé une espèce de sixième sens, capable de sentir, de deviner les choses bien avant qu'elles ne se produisent.

Un sixième sens lui permettant de marier le sacré au profane dans un langage poétique auquel les Gaspésiens n'étaient, pour le moins, pas accoutumés.

Le mystère le plus complet régnait autour de ce personnage à la fois pieux et loufoque. Personne ne savait d'où «il appartenait» ni comment il était venu en Gaspésie pour s'installer, comme bien d'autres squatters, dans les maisons du bout du banc, abandonnées par les déserteurs du temps quittant la Gaspésie pour gagner les States en rêvant de fortune... et de métier à tisser...

Cocagne était beau comme un dieu, un dieu de la Grèce antique. Certains disaient même au travers de leurs palabrages qu'il en était un descendant en droite ligne, issu de la cuisse de Jupiter et du talon d'Achille.

Certains, plus culottés, allaient même jusqu'à l'apparenter à Éros, le plus beau des dieux immortels, celui capable de dompter les membres, le coeur et le sage vouloir. Celui par qui l'amour arrive grâce à la puissance d'attraction favorisant l'union des êtres doués de raison.

Peut-être même avait-il reçu à sa naissance un peu des caractéristiques de tous les dieux se partageant le monde.

De Zeus, il aurait hérité de ce don merveilleux permettant de lire dans les astres, de prévoir les phénomènes atmosphériques, de moucher les étoiles autant que de rondir la lune plus souvent qu'à son tour.

Du dieu de la mer en furie, le grand Poséidon, ce Neptune bien fourché, protecteur des marins et des pêcheurs, ébranleur du sol et des eaux de source, dompteur

de licornes ailées et de chevaux zélés, Cocagne, fils spirituel et adoptif d'Adelme à
Constant, avait appris à naviguer sans compas ni sextant, à repérer l'eau en la source
grâce à une branche croisée, de même qu'à
ramener à la raison le dernier des chevaux
au meilleur de son mors aux dents, d'une
simple pression de sa paume sur la rosette
de la bête écumante et possédée. C'est
d'Hadès, ce dieu des enfers par qui la foi
des charbonniers se perpétue, qu'il tenait
son côté prospecteur, ce troisième oeil capable de déceler en la terre à n'importe
quelle profondeur, le minerai s'y trouvant,
de même que son respect des morts et son
habileté à les embaumer.

C'est à cause de toutes ces raisons, de
ces suppositions, ces peurs et ces superst-
titions qu'on avait fini, avec le temps, par
surnommer Cocagne: Le bon Dieu en culott' de v'lours...

Loin de s'en formaliser, celui-ci s'accom-
modait plutôt bien de ce sobriquet qui semblait d'ailleurs lui aller à merveille... Lui,
ce magicien des sens qui avait développé
grâce à sa grande curiosité et à son calme
légendaire, cette fonction première par laquelle des êtres animés reçoivent une impression des objets extérieurs: cet ensemble

15

des fonctions de la vie organique procurant du plaisir, cette faculté de connaissance immédiate, intuitive, cette manière de comprendre et de juger des phénomènes trop souvent hors de portée du commun des mortels. Ce sont toutes ces raisons et bien d'autres qui en faisaient, malgré lui, un être à part, à la fois craint et vénéré, un être à mi-chemin entre Dieu et démon, entre folie et raison, qui soulevait la convoitise autour de lui.

Qui n'aurait pas souhaité, à le voir traverser la vie l'oeil au large et le sourire aux lèvres, être investi à son tour d'une si grande sagesse, d'un pareil savoir, de si grandes ouvertures sur le monde des sens, clé des voluptés, coffre-fort des jouissances, douane de la libido, bas de laine des orteils croches et quoi encore? Qui?

Heureusement pour lui, le bon Dieu en culott' de v'lours n'avait jamais eu à se poser cette question puisqu'il en était la réponse...

La vérité, c'est que Cocagne avait un sens de l'observation un peu plus développé que l'ensemble de l'ensemble...

C'est d'ailleurs ce qui fait que rien ne lui échappait, du visible ou de l'invisible, en passant du sondable à l'insondable, lui qui avait le bras on ne peut plus long et l'oeil clair à noyer la lune...

Un oeil tenant à la fois du télescope capable de nommer chaque étoile par son nom, un oeil profond, douillet et rond comme un nid d'oiseau d'où sortaient par nuées des nuages de coups d'ailes porteurs de curieux messages en direction de l'au-delà. Un oeil aux reflets chantants, sorte de puits profond et calme comme un miroir à deux faces où les dondaines pouvaient, selon leur bon vouloir, venir s'y mirer à leur aise...

Son nez, quant à lui, était un perchoir où venaient se poser les oiseaux du paradis en partance pour le premier matin du monde. Un nez généreux et profond comme une corne d'abondance où venaient, tour à tour, se jeter les moindres relents de volupté, les plus infimes odeurs de sainteté mélangées aux bouffées de chaleur et à l'arôme irrésistible du vent quand il dort sur la mer... emmitouflé dans ses édredons de brume et de chalin, d'écume et de salin.

Pour ce qui est de l'oreille du bon Dieu en culott' de v'lours, c'était un véritable entonnoir par où pénétraient les sons les plus imperceptibles, les silences les plus subtils, porteurs de grands discours et de vents qui parlent de tempête entre double fond et dos rond quand le calme est sur l'eau et que l'horizon se liche les flancs entre deux accalmies. Une oreille où prenaient racine des milliers de cris d'oiseaux pressés de prendre le large... à destination de toujours...

Cocagne n'avait qu'à lever la main pour rappeler qu'elle était à la fois de velours, au plaisir de certains, d'autres pourtant la savaient de fer, puissante et capable de redresser les torts. Une main qui traçait des plans... des chemins à même le sable gris de la baie qui n'a de cesse d'user le temps et de se refaire entre deux marées d'automne plus faraudes les unes que les autres. Une main faisant flèche de tout bois quand elle pointait d'un doigt envoûtant le sud, en disant par-devers elle: «C'est par là...»

Quant au goûter... c'était un bien grand mot à mettre dans la bouche de Cocagne, lui qui goûtait chaque minute de vie avec une intensité telle qu'on aurait pu aisément croire à sa dernière... Le bon Dieu en culott' de v'lours était un goûteur d'existence qui ne se contentait pas de se rouler la langue à tort et à travers. Cocagne goûtait de l'oeil, de l'âme, de la paume, des narines, du marteau et de la parlure avec une joie non dissimulée qui faisait croire, pour un instant, que l'enfant du tréfonds de lui coltaillait plus souvent l'homme qu'il aurait dû être... par sa charpente de géant, imposante et indomptée. Un homme apparemment sans fantaisie, fondu dans son rôle de mâle fort et beau selon les critères et les scrupules du temps, qui avait toujours refusé de se prêter au jeu du paraître, lui qui effleurait la mer du revers de la main avant de s'embarquer pour de longs mois de partances aux Terrae Novae en se signant, un peu maladroit, l'oeil dans un nuage grisâtre qu'il semblait connaître un peu mieux que les autres.

Comme si ce n'était pas déjà assez de posséder à plein pareille connaissance des sens, le bon Dieu en culott' de v'lours en avait développé un autre, un sixième qui lui était bien particulier celui-là, par lequel il pouvait lire l'avenir à creux de paume et sans détour comme en un journal savant, possédant la vérité sur le temps à venir... Un sixième sens dont il se servait avant de s'embarquer pour ces longues traversées porteuses de mystères qu'il semblait affectionner par-dessus tout. C'est ainsi qu'en apprenti-sorcier, il consultait sa paume ouverte avant de l'aligner de biais avec la pleine lune, de façon à pouvoir lire ce qu'il était apparemment le seul à percevoir en cet instant magique où le croisement semblait se faire pour créer un reflet bleuté de toute beauté, d'un simple jeu de lune et de paume, en travaillant les angles comme un marin perdu en mer consulte le sextant... en le pressant sur son coeur... de peur...

Certains voyaient en ces méthodes peu orthodoxes une façon de conjurer le sort qu'ils ne prisaient guère, prétextant que l'on ne se rit pas impunément du temps, ce vieux mystère encarcané d'arthrite généralisée, des astres, ces pendants d'oreilles à la lune qui en font la grosse madame respectable que l'on connaît, et surtout du vent sur la mer... qui vient du plus loin du plus loin, chargé de questions, pansu de réponses que l'on démaille entre deux marées... et surtout... du vent sur la mer, on ne rit pas impunément...

Attribuant ces sornettes de confessionnal à l'ignorance, Cocagne continuait sa route sans se soucier de «ces brasseux de chimères» pour qui le vent sur la mer est un mystère...

Il poursuivait plutôt son petit bonhomme de chemin, généreux de sa personne et de son savoir en offrant un peu de sa science et de son grand coeur aux plus nécessiteux; un peu de sa force à ce feluette-ci, un peu de sa science à cet ignorant-là, un peu de sa sorcellerie à un malade qui n'en menait pas large et parfois même, un peu... beaucoup de sa descendance d'arrière-arrière-petit-fils d'Éros à la Melda des Taguinnes, celle-là même à qui son coeur d'enfant n'avait jamais rien su refuser.

Tellement rien refuser qu'avec le temps, bien malgré elle, Melda s'en était entichée même si celui-ci ne faisait rien pour créer de faux espoirs sinon la presser sur son coeur en buvant sa douceur comme eau de Pâques.

Et bien qu'elle l'en suppliât à maintes reprises, le bon Dieu en culott' de v'lours refusa toujours de se laisser passer la bague au doigt, l'amour au bec. Pressé de questions, il répondait invariablement pour clore l'affaire: «J'ai marié le vent sur la mer... j'y suis fidèle...»

Invariablement le lendemain de la grande demande répétée, Cocagne disparaissait, besace sur l'épaule, vêtu de partances et de libertés, casqué et botté comme ces navigateurs des premiers jours du monde pour qui la fumée bleuâtre d'une pipée dissipait à elle seule la brume du matin, quand les grands bancs se faisaient chagrins...

À l'annonce de ce nouveau départ, le village savait que la Melda avait refait la grande demande sans succès, au grand plaisir de ses nombreuses rivales qui conservaient l'espoir de s'y rouler un jour ou l'autre.

C'est ainsi qu'il disparaissait à cheval sur l'équinoxe de printemps, qui ne le ramenait qu'à la Toussaint, sourire aux lèvres, peau burinée, en ne disant jamais rien de son itinéraire.

Cela devait bien faire vingt ans déjà qu'il bourlinguait au large quand, un automne de mers baisseuses, de vents de suroît, Toussaint ne le ramena point comme à son accoutumée.

Cette année-là, les éléments semblaient s'être passé le mot pour larguer leurs fureurs à grandeur de pays, en même temps.

Pendant des semaines, de grandes marées jusque-là inégalées vinrent noyer les côtes et le bas du pays, emportant dans leurs rages des caps et des falaises que le fleuve changea en boue et charria pendant des mois vers la mer plus furieuse que jamais, jusqu'à pourrir l'espoir et les récoltes au calendrier du temps...

Et, pour conjurer le sort, Cocagne qui ne semblait pas vouloir revenir...

Lui seul, disait-on, aurait pu de par sa grande sagesse et sa science sans limite calmer les éléments déchaînés, vengeurs et sans pitié.

Le mauvais temps continua jusqu'aux fêtes et toujours ce fameux bon Dieu en culott' de v'lours qui ne réapparaissait pas, c'était là bien plus qu'il n'en fallait pour redouter le pire...

Au commencement de janvier de cette année-là vinrent faire côte, sur des milles de long, les débris d'un bateau qui paraissait fort imposant. De l'anse à Ti-Will jusqu'à la côte-à-Raoul, des membrures de bâtiment entremêlées de bouts de filets et de cordages s'accumulaient de façon impressionnante.

Même que les plus connaisseurs conclurent qu'il s'agissait d'un de ces fameux Terras Nuevas qui croisaient sur les grands bancs, un morutier comme on en voit par centaines sur cette mer de Nouveau Monde.

On ne fut pas long à faire le rapport entre l'esbouerie du bon Dieu en culott' de v'lours et ce curieux naufrage pour le moins digne des dieux.

Dans les jours qui suivirent, d'autres débris farcis de bouts de mâts et de ferrures continuèrent à venir faire côte et parmi eux l'on retrouva un panneau ou, en tout cas, ce qui semblait être un insigne de navire sur lequel on pouvait lire, bien que la première lettre fut en piètre état: *Éros*...

On en conclut qu'il s'agissait d'un nom de bâtiment, ce qui ne laissait rien présager de bon, cependant qu'Adelme, le plus instruit du village, se mit en frais, à l'aide d'un vieux livre retrouvé dans les effets de Cocagne, de déchiffrer ce nom pour le moins singulier au petit village de Pointe-Bourque.

Un mot si rare au corps chantant ne pouvait qu'être porteur de mystères...

Comme de fait... c'est d'un vieux bouquin jauni exhalant de curieuses odeurs que l'on apprit qu'Éros voulait dire: Dieu de l'amour... dans la mythologie grecque. Le vieux livre permit aussi de faire connaissance avec d'autres dieux ayant pour étranges noms Poséidon, Zeus, Hadès et Neptune qui n'était pas sans rappeler le bon Dieu en culott' de v'lours...

Le hasard a parfois de ces façons de dire ce qu'il a à dire et de faire ce qu'il a à faire...

C'est le même vieil Adelme qui retrouva le corps de Cocagne ensablé au crible à Narcisse en allant aux coques, au matin du samedi de Pâques...

De loin il avait cru, à travers ses larmes... et bien malgré lui, voir briller l'or jaune du velours des vieilles culottes dont Cocagne ne se départissait jamais... ces culottes qui avaient fini par l'habiller d'un nom à la hauteur de son mystère...

Puis, à s'en rompre les os, la gorge nouée et le coeur battant, le vieux avait dévalé la côte à Narcisse avec la vitesse de l'éclair pour, finalement, s'agenouiller tremblotant et meurtri auprès de son meilleur ami, de son fils spirituel et adoptif... qui était finalement de retour... et pour de bon, cette fois...

On pourrait enfin le marier à la Melda des Taguinnes puisqu'il ne partirait plus désormais...

Et, comme toujours, une fois que la mort a tout fauché, on regretta de ne pas... lui avoir assez fait confiance... de ne pas lui avoir donné toute la place qu'il méritait... de ne pas l'avoir marié à la Melda, morte d'un chagrin qu'on préféra nommer «consomption...»

Et l'on se mit à le vanter, à dire comme il était beau et fin et doux, savant et possédant tant et tant de qualités que c'en était gênant pour ceux qui l'avaient vraiment aimé et qui ne disaient mot... par respect... par amitié... par peur de trop en dire...

Car, malgré tout ce temps, toute cette mauvaise mer qui l'avait si bien ramené chez lui, il était toujours aussi beau, d'où cette fameuse légende qui en faisait un être descendant des dieux.

Dans ses yeux grands ouverts, des oiseaux avaient fait leurs nids d'où partaient des milliers de nuages de coups d'ailes, porteurs de curieux messages en direction de l'au-delà...

Son nez, gossé au couteau d'un sculpteur de grand talent, était recouvert en son entier de moussons qui commençaient de faire des racines pour les plaquebières à venir...

Ses mains, toujours aussi belles et généreuses, pendaient du long de son corps comme deux rames pressées de toucher l'éternité...

Et bien qu'il fût mort depuis longtemps, il sentait bon le lilas de mai et la fleur de pommier...

On l'enterra sous un sapin bleu centenaire qui saurait lui faire de l'ombre l'été, le garder à l'abri l'hiver...

Et ce jour-là, on dit qu'une neige rose a neigé... et qu'elle goûtait la bonté...

Du moins, on le dit... en parlant de sixième sens...

La petite fanfare

*Que l'important soit dans ton regard
et non dans la chose regardée...*
Gide

Ti-Gris à Bonhomme était de la race des contemplatifs, race qui aime regarder, voir, admirer, s'émerveiller grâce à la vue, ce sens merveilleux permettant de tout voir ce qui, de la vie, s'ébat autour de lui.

Contemplatif... race de défricheurs d'âmes et de frissons en voie d'extinction.

Qui peut se vanter d'avoir le temps, de nos jours encore, de s'extasier devant un coucher de soleil qui n'en finit plus d'éclabousser la baie et les nuages? Qui peut se vanter, aujourd'hui, d'avoir le temps de fouiller la lune, les étoiles, la voie lactée aussi souvent qu'il le voudrait?

Le temps n'a plus le temps d'engrosser les sentiments à tout bout d'champ... L'argent n'a pas appris à attendre, pas plus que ses esclaves de tenants d'ailleurs...

Heureusement pour lui, Ti-Gris faisait encore partie de cette race à part – cette race à peu près disparue – d'exaltés, de rêveurs éveillés, de faiseurs de pays, de rueux dans les brancards, de défourasseux d'espérance, de détrousseurs de roses, de chasseurs de dentelles, de buveurs d'éternité, pour qui la moindre des choses, souvent imperceptible au commun des mortels, est déjà tout un trésor.

Une race pour qui le mot âme avait encore une signification. Pour qui le mot âme aurait pu redonner vie à toute chose, même à ces feuilles mortes poussées par l'octobre, qui savent encore danser en collant leur nez aux fenêtres de la saison; tourner, virevolter avant que de givrer à l'envers... comme un coeur à l'étroit dans son manteau de chair...

Pas étonnant qu'avec un oeil de cette profondeur, aiguisé comme un crayon à qui rien n'échappe, même pas l'invisible, cette clartitude souvent plus apparente que tout l'artifice la recouvrant, Ti-Gris à Bonhomme rêvât de partance, d'aventures et de bout du monde à mesure que le temps, cet allié farouche, lui faisait l'oeil plus frileux, plus lointain, plus matineux...

Mais d'abord pourquoi un nom aussi particulier pour un homme si rare? Tout simplement à cause de ses yeux merveilleux qu'il avait gris-bleus. Un bleu plus bleu que bleu, un bleu de chat qui ronronne le dos en rond, un bleu de bête mi-sauvage, mi-domptée, un bleu... de matin sur la mer... quand, au large, les goélands rôdent en repérant les bancs de morues, sachant d'instinct qu'au retour de pêches les ouïes leur reviendront...

Avec de pareils yeux et doublé d'une soif d'aventures à toute épreuve, pas étonnant qu'un beau matin, le Ti-Gris à Bonhomme regarde par-dessus son épaule sur la route menant à l'appartenance.

Un beau matin d'octobre, de gelée blanche et de coeur en friche, bardé dans ses espoirs rapiécés de laine du pays, Ti-Gris disparut, au carrefour de ses vingt ans, sur la route devant le mener à lui-même, sans même se retourner pour jeter par-dessus son épaule un dernier coup d'oeil au village.

Il savait la chose inutile puisque son pays, il l'emportait dans ses hardes, dans son baluchon à fleur de tripes et de pensées comme une racine pressée de voir le jour. À quoi bon alors fouiller du regard une fois de plus l'enveloppe usée et défraîchie des habitudes de ceux qui ne juraient que par la sueur et la misère pour s'ennoblir;

la peur, la misère et cinquante-six autres échantillons de superstitions revues et corrigées toutes plus mal dégrossies les unes que les autres.

Depuis longtemps déjà, depuis toujours à vrai dire, Ti-Gris avait tracé son itinéraire imaginaire dans sa tête d'enfant ouverte sur le monde. Il était confiant en sa bonne étoile qui ne l'avait jamais trompé, du moins jusqu'ici.

C'est pourquoi, il irait de par les chemins apprendre la vie, la vraie, l'écailleuse et la ridée, la revêche, l'indomptée, la hors-la-loi, en se frottant aux petites gens pour qui la vie est toujours «grandeur nature», celle de semaine qui ripaille et transpire d'un rien, pas celle endimanchée dans l'artifice qui finit, tôt au tard, par sentir le parfum bon marché, l'illusion et le faux col.

Avec un idéal grand comme le monde, nul doute que Ti-Gris pouvait s'attendre à disparaître pour un bon bout de temps, le temps de traverser les routes parsemées de joies et d'embûches et de tout ce que le mystère sème de cailloux blancs sur ses chemins de travers menant à la vérité.

La vérité, cette transparence qui était la seule vraie quête de Ti-Gris, cette obsession quasi maladive qu'il avait depuis sa prime jeunesse de retrouver ce père qu'il n'avait jamais connu.

Ce père disparu avant sa naissance qu'il avait si tant cherché en d'autres bras, en d'autres lèvres, en d'autres yeux... jamais si bleus que les siens...

Telle était la peine profonde le poussant à partir, n'avoir jamais vu son père, ne jamais l'avoir touché, senti, ne jamais s'être reconnu en lui, de par ce que la chair et le visible ne peuvent démentir.

Bien qu'il en ait entendu parler à travers les branches, au hasard d'une conversation au magasin général interrompue à la vue de sa seule présence, même si, de par ce silence hypocrite et contenu, il en devinait bien plus qu'ils ne pourraient jamais lui en dire entre deux silences bavards et révélateurs.

Il n'avait rien pu tirer de sa mère non plus qui, plus souvent qu'autrement, prétextait un travail urgent et en profitait pour se sauver à la seule vue de ces yeux débordant de questions et de savoir, auxquels son amour-propre flétri à jamais n'avait pu, même après tant d'années, rendre réponse.

Ce qui donnait véritablement à penser à Ti-Gris, une fois de plus, qu'il y avait anguille sous roche.

Jusqu'au jour où, se sentant vieillir et n'y tenant plus, son grand-père Bonhomme avait fleuri ses yeux qui s'étaient grisés tout à coup en parlant du père en allé au bras d'une gitane rencontrée au hasard d'une fête foraine en Gaspésie.

Devenu follement amoureux d'elle, il avait tout abandonné: femme, famille, pays, enfant en devenir pour la suivre au bout du monde comme un rêve fuyant de roulotte en chapiteau.

Sa mère avait failli en mourir de honte d'abord, d'amour et d'orgueil par la suite. Son chagrin lui avait même fait penser à la vieille Indienne de Restigouche, celle par qui les bébés ne voyaient jamais le jour...

C'est le vieux Bonhomme qui y avait vu, qui l'avait ramenée à la raison bien malgré elle.

C'est lui qui avait pris sur lui de rendre cet enfant à terme, cet enfant de son enfant, cette seule référence vivante qui prolongerait du même coup son temps à lui... du seul fait de retrouver en ces yeux un peu du fils en allé duquel son esprit ne pouvait se détacher tout à fait.

C'est uniquement pour cette raison qu'il avait consenti à lever le voile sur ce fameux mystère qui avait, jusqu'à ce jour, si tant hanté Ti-Gris.

De plus, c'était aussi l'ultime quête que menait Bonhomme de par les semelles à Ti-Gris. Cette quête insensée de retrouver ce déserteur qui ne demandait peut-être pas mieux, rongé par les remords, que de rentrer au bercail pour y finir ses jours à l'abri du passé...

Peut-être bien était-ce aussi la honte démesurée et la peur de faire face aux regards accusateurs des villageois qui ne manqueraient sûrement pas de rappeler à son souvenir ce chapitre pour le moins peu reluisant de sa vie.

Et sa femme... peut-être était-elle morte de chagrin, remariée, folle ou quoi encore?

C'est qu'il s'en passe des choses dans vingt ans d'une vie...

Et son père l'avait-il renié à jamais? Était-il mort?

Et ce sang de son sang, cet enfant de par son nom qui n'était en somme qu'un étranger, comment réagirait-il? Viendrait-il brûler un secret par trop douloureux?

Tant d'interrogations pouvaient venir lui donner raison de n'être jamais revenu...

C'était en tout et avant tout pour satisfaire sa curiosité à lui, que Ti-Gris était parti; mais aussi pour cette lueur d'espoir qui continuait de consumer l'oeil de Bonhomme malgré sa fin irrémédiablement prochaine et aussi, bien sûr, pour redonner un peu de couleurs aux joues maladives de sa mère qui avait, depuis longtemps, renoncé à la lumière du jour autant qu'aux regards de pitié qu'auraient pu en toute charité chrétienne... lui lancer les dames du voisinage...

Pour les gens du village, il était clair que Ti-Gris ne valait guère mieux que son fainéant de père. On l'avait depuis longtemps classé dans le tiroir des têtes brûlées, des oiseaux sans cervelle et des coqs de village qui préfèrent courir la galipote à travers le monde que de gagner honorablement le pain d'une mère nécessiteuse et d'un vieillard réduit à la mendicité par le sans-coeur d'un fils et d'un petit-fils à qui il avait pourtant laissé, bien malgré lui, la pureté du bleu-gris de ses yeux...

C'était à n'y rien comprendre...

Depuis le départ de Ti-Gris, les jours avaient eu le temps de brûler une bonne demi-douzaine de calendriers, de rider un peu plus la vieille pomme aux joues rouges et au regard frileux du grand-père Bonhomme, tout en continuant de délaver la figure de sa mère de plus en plus caverneuse et livide.

Ti-Gris n'avait jamais donné de nouvelles depuis son départ, ne voulant pas créer de faux espoirs encore, et par le fait même, confirmer son impuissance à retrouver la trace du fuyard.

Pourtant, Ti-Gris n'avait point perdu son temps. Grâce au peu de renseignements obtenus avant son départ par son grand-père, il avait réussi à apprendre le nom du petit cirque auquel la diseuse appartenait... pour enfin le retrouver en bout de piste à Lowell, Massachusetts. Pour finir par se rendre compte qu'elle n'était plus à son emploi depuis belle lurette.

Loin de se décourager, Ti-Gris, qui au cours des dernières années avait dû se résoudre à accepter n'importe quel emploi lui permettant de continuer sa course folle à travers ces États de plus en plus mystérieux, accepta un emploi comme cible du lanceur de couteau d'un petit cirque sans envergure. Ce qui ne pourrait que le mener un peu plus loin, pensait-il.

C'est ainsi qu'il réussit de fil en aiguille, toujours sous le couvert de l'anonymat, à en savoir un peu plus long sur la belle diseuse et son amant.

C'est ainsi qu'il apprit du lanceur de couteau qui avait été, avant son propre père, l'amant de la gitane, qu'elle était morte en couches... que l'enfant avait survécu... que son père, fou de peine était disparu emportant avec lui cet enfant pour toute mémoire...

En insistant un peu, prétextant de vagues parentés, Ti-Gris réussit à apprendre que, jusqu'à dernièrement, l'homme était à l'emploi d'un petit cirque minable répondant au nom de *La petite fanfare*, où il travaillait comme clown à faire rire les enfants en des grimaces savamment étudiées, trahissant un réel talent pour la tragédie.

Sans perdre de temps, Ti-Gris continua son investigation et réussit tant bien que mal à refaire l'itinéraire du petit carrousel ambulant parcourant les fêtes foraines dans les «p'tits Canada» des villes franco-américaines envahies par les Québécois pressés de faire fortune dans les filatures de coton.

C'est par une soirée de pluie et de brume qu'il débarqua à Woonsocket où *La petite fanfare* donnait sa dernière représentation.

Au pas de course, Ti-Gris gagna le campement de fortune formé autour d'un petit chapiteau en délabre avant que de s'y faufiler comme un voleur.

En déambulant, il aperçut près de la cage des animaux un enfant blond nourrissant un lion en chantonnant.

S'en s'approchant, il lui demanda s'il savait où pouvoir trouver un vieil homme faisant le clown.

L'invitant à le suivre, le gamin frondeur comme un enfant de la balle lui dit qu'il le connaissait bien puisque c'était son père et le meilleur clown des États-Unis d'Amérique...

Dès cet instant, Ti-Gris ne se possédait plus. Après tant d'années, être si proche du but lui faisait à la fois peur et plaisir; comment expliquer ce sentiment étrange... de briser le rêve parfois, sachant la glace trop mince pour le porter plus longtemps.

Il y avait, bien sûr, cette folle envie de presser sur son coeur cet enfant crotté aux yeux bleus-gris, ce petit frère qu'il ne savait pas avoir et du même coup, comme un besoin de fuir une réalité par trop évidente à laquelle il ne pouvait plus échapper s'il voulait après tant d'années connaître le vrai visage de ce clown à la figure ridée de réponses...

C'était déjà trop tard puisqu'en quelques minutes, il se retrouva soudainement, comme malgré lui, à la porte d'une vieille roulotte en démanche où était inscrit en lettres rougies et écaillées sur fond noir: *Funny the clown...*

D'une main tremblante, il cogna à petits coups et sans attendre la porte s'entrouvrit, laissant voir un homme hirsute et puant qui eut, à la vue de cet étranger qui n'en était hélas pas un, comme un mouvement de recul, comme s'il avait voulu tout à coup, d'une simple pression de la main, refermer la porte sur un mur de son passé que le temps, l'alcool et les femmes n'avaient pu, avec la meilleure volonté du monde, écraser.

Ils s'étaient reconnus au même instant, muets, sidérés, figés, les yeux bleus-gris embués d'un nuage auquel deux hommes... ne peuvent normalement... donner suite...

Depuis si longtemps qu'ils se cherchaient de part et d'autre en d'autres yeux, en d'autres visages, maintenant que la réalité les fondait l'un en l'autre avec tout ce qu'elle a de merveilleux et d'épouvantable sous les traits d'un miroir à deux faces, comment ne pas se taire?

Comment, après tant de visions idéalistes, ne pas être brisé par ce visage ravagé par le temps, les veilles, les remords et les rides laissées par des larmes séchées sur la peau de l'âge ne pardonnant pas...

Ils se parlèrent peu...

Puisque tout avait été dit du simple fait de se retrouver face à face, du simple fait de mettre un nom sur un visage, un titre au chapitre, un sourire à des lèvres fanées, une larme à l'oeil de Ti-Gris.

Ne restait plus en cet instant sublime qu'à boire le mystère dont il s'était nourri depuis sa naissance à même les yeux de l'homme debout de sur son âge, de cet homme triste atriqué en clown pour qui la mission profonde était de faire rire les enfants... qu'il n'avait pas su aimer...

La souvenance était soudainement trop cruelle de part et d'autre pour ne pas y mettre fin.

Sans saluer, il n'en aurait pas été capable, Ti-Gris tourna du talon, pressé de retourner chez lui pour ne plus en repartir jamais.

Ti-Gris revint assez vite au pays; il n'avait plus le coeur à farfiner, pressé qu'il était de revoir les siens.

Il profita de l'expérience acquise au cours des années pour jumper les trains, ce qui lui permit de couvrir la distance États-Unis-Gaspésie en quelques semaines, ce qui lui parut une éternité.

Tant de choses se bousculaient dans sa tête, tant de réponses pour le trop peu de questions qui l'habitaient encore.

Il apprit à son arrivée à la Pointe-Bourque que le vieux Bonhomme avait rendu l'âme peu après son départ pour les États.

Quant à sa mère qui avait perdu l'esprit pour de bon, on avait dû la placer chez sa soeur habitant un village voisin.

Grâce à toutes ces vérités nouvelles, à tout ce passé surgi de l'inconscient, Ti-Gris se sentit investi d'une nouvelle force...

La force de marcher seul... de vivre... et de survivre... envers et contre tous... le besoin de durer... de perdurer... pour boire la vie à pleines goulées avec ce qu'elle a à la fois de doux et d'amer parfois... pour boire la vie d'une seule gorgée à même ses yeux bleus-gris, ses yeux bleus-mystère... cette soif démesurée... d'appartenances...

Il se sentit heureux et démesurément riche à la seule pensée que, désormais, où qu'il aille et quoiqu'il fasse il ne serait jamais plus seul... puisqu'à partir de maintenant... il avait lui aussi un passé par-dessus son épaule... un passé qui en valait bien d'autres...

Et par devant... à bout d'yeux... un horizon à dégolfer... une mer à larguer... en forme de pays... racines pressées de voir le jour...

Ce jour-là, Ti-Gris à Bonhomme sentit ses yeux se griser d'un brin... et n'en fut point chagrin...

Il n'était plus seul maintenant pour boire la démesure d'un pays trop grand pour lui; il n'était plus seul... le pays marchait devant lui, la tête haute, riche d'un nouveau passé...

Ce jour-là, Ti-Gris marcha jusqu'à ne plus avoir de jambe... et le pays par-devant lui... fier de ne plus marcher seul... au bras d'octobre en lainure... ce même octobre à l'âme de parlure... redonnant vie aux feuilles mortes givrées à l'envers, à l'étroit dans leurs manteaux de chair...

Entre la chair et l'os

Le coût fait perdre le goût.
Haudin

Depuis qu'il avait l'âge d'être conscient que la langue et le palais ont une fonction autre que celle de tenir langage, Flandrin à Gounne avait découvert la jouissance procurée par le contact des aliments sur la langue, en passant du sacré au sucré, de la douceur au hauts-de-coeur.

Flandrin avait fait en ce jour une découverte qui marquerait sa vie tout entière, en se frottant inévitablement à l'un des plus merveilleux sens de la création: le goûter...

Ce fameux sens par lequel Adam et Ève, en pleine connaissance de cause, avaient croqué et le verbe et le fruit... cette pomme de rainette du fruit défendu, à pleine bouche... en plein jour... à la face des journalistes de l'Ancien Testament... avec les résultats que l'on connaît... le plus gros best-seller de l'histoire de la création... tout ça pour une pomme... et la jouissance en découlant... des papilles dégustatives et du crêpage de chignon...

Quand même un peu normal que ce sens soit porteur... des plus beaux péchés du monde. Ce sens permettant de discerner les saveurs, les substances solides et liquides et tout ce qui réside dans le simple fait de croquer à belles dents, de lécher à belle langue, de mâcher à toutes mâchoires, de baiser et de l'âme et du corps... et quoi encore...

Ce goût fatidique et langoureux capable de percevoir quatre saveurs: le salé et le sucré, en passant par l'acide et l'amer; entraînant la gustation, la dégustation, le relent, le savourement, l'avant et l'arrière-goût, la rancissure, la mauvaise bouche, la fadeur et le bouquet, la répugnance, le rance et le piquant, le fadasse et le ragoûtant.

Que de coups d'aiguilles à passages pour ces papilles gustatives aux amours farouches et mémorables...

Flandrin se souvenait particulièrement bien de ce jour merveilleux où il avait fait la découverte qui devait orienter toute sa vie... et même au-delà...

Il devait bien avoir trois ou quatre ans, l'âge des folles découvertes, des portes d'ar-

moires, des bavettes et des fonds de ti-
roirs.

L'âge heureux où l'horizon est loin par-
devant soi... où tout est pardonnable, où ni
Dieu ni diable n'ont d'emprise encore sur
la bêtise à venir, l'âge ou chacun est roi...

Si Flandrin se souvenait trop bien de
ce fameux jour qui allait marquer toute
son existence, ce n'était pas tant à cause
du merveilleux soleil de mai roulant au
cou de la mer, plus huileuse que jamais,
ni à cause du sourire de sa mère, plus généreux qu'à l'accoutumée, non plus parce
que le large avait de ces relents de pêches
miraculeuses, c'était à cause d'une drôle
de petite bête à coquille aux énormes pinces
avec qui il avait, ce jour-là, fait connaissance.

Une drôle de créature qui, disait-on,
pouvait couper un doigt d'une simple pression de sa grosse pince dirigée par les
antennes du diable...

Tant d'émerveillements dans le coeur
d'un enfant, pour un simple crustacé bleu-
vert que son père rapportait de la première
levée de cages de la saison, n'avait jamais
été vu.

À la fois apeuré et fasciné par ce nouvel
«ami» qu'il pouvait étriver à son aise, armé

d'une branche passée entre les pattes du homard qui ne cherchait qu'à refermer sa pince au plus coupant, cherchant à repousser l'intrus qui ne semblait pas vouloir se lasser de sitôt, à en voir durer le jeu... Cela sous le regard fasciné du père des plus heureux de voir que son enfant, pareil à lui et à son père avant lui, deviendrait au moment venu, pêcheur de homards à la Pointe-à-Florence, afin de perpétuer une tradition qui remontait à l'arrivée des premiers Gounne au pays.

C'est avec toute la curiosité d'un enfant de son âge qu'il avait suivi le déroulement de la cuisson de ses nouveaux amis; il avait même ressenti un peu de peine à les voir passer du vert au rouge, comme des virecapots pressés d'en finir avec l'eau bouillante qui leur crochissait et les pattes et le coeur...

Et la bouille avait pris toute la place dans la petite cuisine, mêlée à la vapeur qui fouillait les châssis apeurés en une odeur étrange et doucereuse, une odeur de fin du monde, d'inaccessible, une odeur de riche, une odeur de paix quand on sait que le meilleur reste à venir...

Et le vieux chaudron avait sifflé de toutes ses dents noircies par le salange de trois générations de bouilleux d'homards pendant que son père, au savon du pays, cherchait bien inutilement à se défaire de l'odeur du salange collée à sa peau d'homme, sachant trop bien que le large, la liberté et le sel finissent tôt ou tard par couler dans les veines de l'homme demer comme à son insu... comme pour saumurer l'espoir jusqu'en ses chairs les plus farouches...

Dans un geste des plus solennels, Gounne avait retiré le premier homard de la marmite, toutes pattes dehors, non sans penser qu'il était plutôt bizarre que ce fût dans l'eau que, plus souvent qu'autrement, un poisson se faisait cuire...

Et la mère avait posé tour à tour les carapaces fumantes dans un grand plat de granit bleu cassé au beau milieu de la table en un fumet merveilleux embaumant désormais toute la bicoque luisante de plaisir et de buée.

L'enfant, bien assis sur les genoux de son père, avait appris ce jour-là comment on mange le homard au vieux pays de Gaspé depuis trois cents ans.

Détachant la queue du reste du corps en un bruit sec, il l'avait fendue en son milieu avant d'en retirer la chair blanche et délicieuse pour la porter à la bouche de l'enfant, qui l'avait roulée sous son palais comme pour faire durer ce plaisir sur sa langue vierge, à la fois mélange de chair neuve, généreuse et encore pleine de vie.

Pour la première fois, il prit véritablement conscience de cette magie que peut contenir la langue pour peu que la pureté y soit.

Puis, tour à tour, Gounne rompit les grosses pinces et le corps de ses gros pouces jaunis par la saumure, duquel apparut comme par magie, le fort, ce que Gounne nomma: le coffre-fort du homard, la partie cachée... le meilleur... la partie pour laquelle on conserve le plus grand soin, celui de ne pas en perdre, de ne rien gaspiller, par principe d'abord, par superstition ensuite, d'épargner «la bonne femme», petite poche ventrale recelant un fiel que l'on dit poison depuis toujours.

À partir de ce jour, Flandrin n'avait plus jamais été le même, fasciné par ce homard dont il rêvait, comme son père, de se faire pêcheur pour partir bien avant jour, chaussé de ses bottes de sept lieues neuves de large et d'avenir...

C'était la seule fois que son père avait apporté du homard à la maison.

Pour Gounne, le crustacé n'était pas un amuse-gueule mais un gagne-pain et, comme les années suivantes avaient été pour un temps des années maigres, le homard n'était pas pendant plusieurs années réapparu sur la grande table veuve d'odeur et de chair si recherchée.

Flandrin avait grandi avec toujours cette folle envie de suivre son père au large, rêvant de devenir le meilleur pêcheur de toute la Gaspésie et de garnir la vieille table de cuisine à lui rompre les os.

Un beau matin de mai vint pourtant le jour attendu par Flandrin: son père l'emmenait au large pour lui apprendre le métier, heureux de ne pas avoir à s'inquiéter, comme d'aucuns, d'assurer sa relève, sachant trop bien son fils bel et bien piqué... à l'eau de mer... et que de cette piqûre on n'en revient à peu près pas.

Le temps avait bien tricoté des milliers de têtes de cages au montant du châssis du nord depuis le jour où l'enfant, devenu un homme, avait commencé à pêcher avec son père lui ayant appris toutes les passes, les fonds et les secrets nécessaires à en faire le meilleur pêcheur de homard de toute l'histoire de la Gaspésie.

Pourtant, l'ambition démesurée du fils n'était pas sans inquiéter le père quelque peu, lui redisant souvent, exaspéré: «La mer, faut pas la vider du meilleur de ses tripes, faut qu'a mange elle itou... autrement... ça pourrait v'nir à malfaire... a peut s'venger la mer, faut la respecter, faut ben faire attention de pas en prendre plusse que son besoin, pis d'y rend' d'une façon ou d'une aut', ça s'rait-y just' en la r'marciant de temps en temps, en lui disant qu'a l'a des beaux yeux pis tout c'qui vient avec»...

Flandrin n'en pensait pas tant. Le respect l'intéressait moins que l'argent et il semblait de plus en plus sourd à ce genre de remarques déplacées, susceptibles de freiner sa soif de posséder l'horizon, le large, la mer... et son coffre-fort duquel on n'abuse pas indéfiniment sans être en droit de s'attendre à quelques rebichages de sa part.

Depuis qu'il pêchait avec son père, Flandrin n'avait rien dépensé, accumulant son pécule en vue de se gréer à son tour et devenir ainsi indépendant, pour enfin donner libre cours à ses sombres desseins sans avoir à subir les palabrages de Gounne de plus en plus ulcéré par l'ambition maladive de son Flandrin de fils.

C'est ainsi qu'un beau printemps, fier de son flat neuf, de son gréement et de son désir de boire la mer d'une seule et même gorgée à l'anse de la tasse de la folie, Flandrin braqua vers le large pour jeter ses cages...

Ses cages aux têtes brochées de rêves au cadre du châssis du nord de tout un hiver, ouvert sur la baie en son ventre arrondie par le frimas frazilleux que mars et avril avaient fini par désabrier de part en part, libérant l'horizon... et l'espoir...

Il s'était juré depuis trop longtemps de devenir le meilleur pêcheur de la baie pour ne pas tenir sa promesse.

C'est ainsi que, matin après matin, Flandrin était au large bien avant les autres, et qu'il ramenait, au grand dam des vieux loups de mer, des pêches à les faire mourir de honte quand il les croisait à sa sortie de la coopérative, en s'informant comme si de rien n'était du nombre de leurs trappes... de la qualité du fond... des amers pour les repérer... et de l'angle le plus pêchant... comme par hasard... pour la jasette...

C'était là un langage de pêcheurs auquel le profane n'aurait compris un traître mot mais qui, dans son cas, valait son pesant d'or.

Alors pourquoi se méfier d'une jeunesse vaillante comme le Flandrin à Gounne, un des fils dont le pays a si tellement besoin pour faire ses frais, pour continuer de ramer contre le courant qui gagne la berge, au fur et à mesure que les villes se rapprochent des villages pour les avaler l'un après l'autre au nom du progrès et de la technologie...

Malgré un début de saison des plus prometteurs, Flandrin n'était pas vraiment satisfait.

Il décida donc que le temps était venu de passer à l'action, de prendre la mer par la bride et les cages par la bouée.

Prétextant le fait qu'il serait plus matin à larguer, il s'installa pour l'été dans la cabane de pêche de son père, sur le bord de la côte d'où il pouvait tout à son aise fouiller le large...

Cette nuit-là, de même que les suivantes, Flandrin, profitant de l'obscurité complice, enfila ses rames aux tollets en direction du large et des bouées des autres pêcheurs afin de soulager leurs cages et du même coup alourdir les siennes, contribuant ainsi à augmenter ses prises de façon pour le moins cavalière et peu élégante.

Il lui arrivait même, quelquefois, de partir tout simplement avec les cages qui, une fois la bouée trafiquée, pêchaient pour lui en toute légalité sur sa ligne...

Le petit jeu durait depuis quelques semaines déjà. Flandrin braconnait la nuit avant de rentrer coucher au shack, ni vu ni connu, quand les pêcheurs commen-

cèrent à se rendre compte que leurs at-
trapes étaient de moins en moins pêchantes
et que, pire encore, nombre de leurs cages
étaient parties en dérive par le plus grand
des hasards.

Les plus sages avancèrent qu'ils étaient
victimes de braconnage, ce à quoi Flandrin
prit le parti de répondre que c'était même
plus que probable et, affable comme toujours, il s'offrit à ouvrir l'oeil en sa cabane
au cours des prochaines nuits... ce qui
sembla réconforter les pêcheurs qui commençaient à s'emmalicer pour de bon.

Pendant une semaine ou deux, Flandrin, se sentant piégé, arrêta son manège
le temps de calmer les esprits inquiets.

Comme il sentait la soupe chaude,
Flandrin ne sortait que par les nuits de
brume, de façon à ne pas être repéré si
quelque pêcheur montait la garde à tout
hasard. Cela rendait ses visites plus rares
et plus gourmandes du fait qu'il devait
écouler son produit frauduleux en le ven-
dant à un peddler qui le livrait sur le côté
nord de la Gaspésie et, du fait même,
n'éveillait pas les soupçons puisque lui-
même soulageait ses propres cages afin
qu'elles ne soient pas plus pêchantes que
celles de l'ensemble.

Flandrin, profitant de ruses sans pareilles, put ainsi brûler la chandelle par les deux bouts jusqu'au mitan de la saison.

Avec le temps et la rage de moins en moins dissimulée des pêcheurs, Flandrin sentait le besoin, pour se donner le courage nécessaire à poursuivre son oeuvre, de se rincer le dallot plus que moins avant de glisser les rames aux tollets pour sa visite nocturne des cages de la pointe-à-Florence.

La fin juin avait été, au grand bonheur de Flandrin, particulièrement favorable à cause, surtout, des grandes marées qui avaient emporté plusieurs cages... Sans éveiller de soupçons et comme si ce n'était pas assez, une brume à couper au couteau était venue se mouiller à grandeur de baie pendant plus d'une semaine, au grand plaisir de Flandrin de plus en plus ambitieux et faraud...

C'est justement par une de ces fameuses nuits de brume, plus épaisse encore que les autres, qu'il pongea sa couillardise un peu plus que de coutume, si bien qu'il était des plus gorlots lorsqu'il braqua enfin pour le large.

Néanmoins il se rendit, comme c'était son habitude, visiter les cages à Tiusse, baignées au large de la batture à Minique, avant de braquer, heureux de ses prises, sur la bouée à Eddy.

C'est en descendant la dernière cage de la ligne du banc Laroque qu'un câble s'enroula autour de son pied, l'emportant avec elle, par le fond d'où il ne remonta pas... trop ivre pour se rendre compte de ce qui lui arrivait vraiment...

À l'aube, Eddy eut du mal à saisir, en ramant vers sa bouée, le pourquoi d'un bateau attaché à celle-ci...

Il comprit lorsqu'il s'en approcha... et qu'il vit une de ses cages, libérée de sa bouée, pleine de beaux homards à fond de flat... et ne put s'empêcher de penser au pauvre Gounne... qui ne s'en remettrait vraisemblablement pas...

Et la manigance se dessina devant lui dans la minute.

En prenant bien garde de ne toucher à rien, il remit les rames aux tollets et rebroussa chemin le coeur lourd, comme s'il eût été plus chagrin d'avoir été fraudé par un des siens que par un étrange... Un sentiment bizarre s'empara soudainement de lui, mêlé de rage et de pitié.

Sitôt qu'il eut fait côte, il dirigea son vieux camion en direction de chez Gounne d'où il appela la police et les pêcheurs, qui ne purent que constater la même chose que lui.

On fouilla et les côtes et les caps, des plongeurs glanèrent les fonds, des hélicoptères les eaux, mais sans succès.

Le fraudeur semblait avoir trop honte pour vouloir réapparaître...

La chose commençait de se tasser quand Médée Dion, profitant de la marée basse pour ramasser des agates repéra, entre deux eaux, ce qui semblait être le corps d'un homme... à une encâblure de la côte à Paillasse.

Quand on le sortit de l'eau, il n'était pas reconnaissable tant il avait raclé les fonds et gonflé. Il avait les yeux ouverts comme pour fouiller le large, son corps était bleu de part en part, un peu de limon finissait de lui farder le front, et... à la hauteur du ventre, un trou, de la bonne grosseur d'une bouée de petite eau, comme celles si souvent trafiquées par le fraudeur, laissait voir des dizaines de homards occupés à récupérer leurs trésors trop souvent ravis, à même ce coffre-fort de chair et d'os... depuis longtemps déjà... vide par en dedans...

Entre la poire et le fromage

Sentir fait penser on en convient;
on convient moins que penser fait sentir;
mais cela n'est guère moins vrai...
Chamfort

Balloune à Médée était une nature faraude qui aimait bien se tirer un rang, autant en pétant plus haut que le trou qu'en plissant le bec, de maniérages en belles façons.

Balloune, comme son sobriquet tente de le démontrer, en avait pas mal épais de collé sur le charcois. Il était rond comme une boule de quille et dodu comme un cochon de lait à fendre à l'ongle.

Petite peau rose de bébé attardé, main molle de femmelette devenue, au visage graisseux et boutonneux, graisseux non pas d'une graisse cervicale qui aurait pu contribuer à lui donner le peu de génie qu'il n'avait pas, mais d'une graisse animale et carnassière haute su' pattes et ronde de fesses d'enfant d'chienne pas piqué des vers...

Comme il était le seul descendant mâle de Médée à Paul, pas besoin de vous dire qu'on le traitait aux petits soins, qu'on désirait en faire quelqu'un de bien qui pourrait à son tour, au moment venu, perpétuer la race des palais noirs de la tribu médéenne et paulinaire dans les siècles des siècles...

C'est pourquoi Médée avait beaucoup insisté auprès de sa vieille fille de soeur Blanche pour qu'elle soit la marraine de ce chérubin à double menton et qu'elle s'occupe de lui donner l'éducation visant à en faire un messieu'... capable de relancer d'un bout à l'autre de la péninsule gaspésienne l'honneur en voie d'extinction des Médée à Paul, d'une façon ou d'une autre...

Et ce, même si le dicton populaire est assez clair à ce sujet: «On ne fait pas du verre taillé avec une cruche...»

Néanmoins, question de forcer le sort, Blanche et Médée décidèrent, à tout hasard, de tout faire pour changer l'ordre des choses, de ne reculer devant aucun moyen, question tout simplement, à l'instar de certains députés d'arrière-banc, de passer à la postérité de leur vivant.

Médée, tout autant que Blanche, comptait beaucoup sur la réputation de sainte femme à canoniser de la célibataire endurcie pour enseigner les bonnes manières à son gros rustre et ignare de filleul qu'elle prenait chez elle toutes les fins de semaine, pour lui apprendre à se tenir à table, au cabinet, au lit, ollé!, en rêvant d'en faire avant longtemps un être irréprochable, affable, prévenant, sournois et galant au goût des plus raffinés...

Et en matière de goût, tantine Blanche n'avait rien à apprendre de personne. C'était chez elle un talent naturel qu'elle développait depuis qu'elle avait l'âge de rouler des hanches et de «brasser les couvartes»...

Et il ne faut pas oublier qu'elle avait donné sa parole à son Médée d'amour. Son honneur de vieille fille était en jeu, son honneur de ma tante «carrossable et si ouverte en son milieu»... à certaines prérogatives... ne laissant aucun doute quant à leur ouverture d'esprit... et d'entrecuisse... pourvu qu'ça glisse... comme le dit la chanson...

Pendant des années, Blanche prit son rôle d'éducatrice très au sérieux, si tant que les plus moqueurs avaient fini par appeler Balloune: «Le plus vieux à Blanche»... ce qui n'était d'ailleurs pas sans lui flatter l'égo... et le reste...

Elle était pourtant bien récompensée à la seule vue des progrès réalisés par Balloune depuis un certain temps. Il se raffinait... sa langue commençait à percevoir des sensations... qui ne sont pas, quelquefois, sans crochir les orteils...

Elle était fière de constater que ce vulgaire rejeton deviendrait avant longtemps un homme de profession libérale... un messieu' quoi! Un homme à col dur et à panse molle. Un homme de goût, un homme de nez, un homme de langue...

Elle ne doutait plus maintenant d'en faire un homme de langue, surtout depuis le jour où quelques poils lui avaient fleuri le menton entre deux savons, et qu'il avait commencé à bambocher à même le quart de bagosse avant de venir se vider de son trop-plein... dessous la jupe de tantouse Blanchinette qui pour l'occasion ne portait plus tout à fait son nom...

Et, comme celle-ci avait appris lors d'un séjour pour le moins prolongé chez les soeurs de la Charité de Carleton qu'il fallait, dans la vie, combattre le feu par le feu, et bien soit... il était allumé son neveu, elle ferait en sorte d'en faire la flambée de la famille avant longtemps.

Grâce à ses contacts particuliers et soutenus avec le ministre des loisirs, pas très recommandable, qu'elle hébergeait aux quatre ans, elle réussit en jouant de ruses et des cuisses à décrocher une bourse plus que substantielle visant à faire de son nigaud de Balloune un dégustateur... le mot n'est pas trop fort...

À tout seigneur, tout honneur... À tout roteur, mal de coeur...

La nouvelle s'empara du village comme un député chargé de bas de nylon une veille d'élection...

L'affaire était désormais classée. Tantine Blanche pouvait crier: *«Eureka... mission réussie»*... au grand plaisir de Médée qui, même s'il avait du mal à comprendre qu'on puisse se servir de sa langue pour faire un métier, était fou de joie à la seule idée que son fils ferait maintenant partie de *la grand' race*, la race des nombrils secs, des aisselles huileuses, des délicheux aux babines roses et des p'tits doigts en l'air...

Si certains se plaisaient déjà à l'imaginer ainsi, avec un grand chapeau et mains molles, les autres avaient du mal à juger de l'effet, à la seule façon dont le bougre, par l'intermédiaire de sa tante, avait été si «cabalèrement» sélectionné.

Néanmoins, accoutumé à l'injustice et à la politicaillerie de fonds d'chaudrons, on prit le parti d'en rire en poussant même l'effronterie jusqu'à dire que le village serait enfin débarrassé d'un gros pollueur et d'un mangeux de m...

Au comble de l'euphorie, Blanche fit le tour du village en compagnie des marguilliers pour faire une quête spéciale en vue de défrayer une partie du voyage devant mener Balloune en ...F... R... A... N... C... E...; pas à Atholville ni au Cap-Noir comme on aurait été en droit de le penser, mais à ...P... A... R... I... S...

La surprise était de taille... et la destination assez loin pour espérer que ce «couille-molle» ne revienne pas de sitôt; raison de plus d'ouvrir son portefeuille pour une bonne cause...

Grâce à un charisme récompensé par la réussite boursière, Blanche doublement encouragée, Blanche au rosier fané et à l'entrecuisse crémeux récolta la somme voulue pour le billet devant emmener le futur fromagier-sommelier jusqu'à Ottawa-la-péteuse, d'où messieu' le ministre aurait tout le loisir de charger la future bourrique sur un avion des Forces armées canadiennes en direction de Lahr en Allemagne. Balloune pensa tout de suite à «lard» et s'en trouva ravi, avant de déposer, en un double saut, la grosse bedaine médéenne à Baden-Baden d'où le boursier, dès le lendemain, serait escorté jusqu'à Paris par deux soldats pressés de s'envoyer en l'air sur la rue Saint-Denis, une fois leur mission-livraison réussie.

Le soir du départ de Balloune à Médée pour les vieux pays fut un jour de gloire pour la petite gare de Carleton-sur-Mer. Jamais, de mémoire d'homme, n'avait-on vu pareil attroupement venir saluer la partance d'un messieu', quel qu'il soit et où qu'il aille...

Médée à Paul et sa Ramona en avaient les larmes aux yeux et la broue à la yeule, cependant que tantine Blanche livrait ses dernières recommandations à Balloune, replaçant son petit mouchoir fripé et crotté dans sa poche de veston tout en lui rappelant de se rentrer la panse pour la photographie officielle devant faire la première page de *L'Aviron* la semaine suivante.

Longtemps après son départ des plus remarqués, le couillon à Médée continua d'alimenter les conversations de ses compagnons d'infortune se plaisant, entre deux verres de baboche, à l'imaginer vêtu en gros jambon ficelé de bout en bout, cuistot raté, le nez veiné phosphorescent et la crotte au cul...

Au grand bonheur de tante Blanche, Balloune écrivait de temps en temps de longues lettres, malodorantes, où il décrivait dans le détail le contenu de ses études, de même que la technique spéciale, qu'il avait lui-même mise au point pour développer son odorat, pour se donner du pif, comme il disait plus loin: «Je m'endors tous les soirs avec deux morceaux de gazette en boules dans les narines, de façon à m'agrandir les canaux nasaux, le cadran à senteur, méthode par laquelle je compte bien péter tous les scores de l'Académie d'odorat appliqué...»

Dans ses longues lettres où la nostalgie semblait absente, l'enfant prodigue paraissait heureux de son sort perdu au bout du monde, à découvrir Paris, ses fonds de cours et ses ruelles, ses omelettes au plat et ses femmelettes à plat.

De longues lettres tachées de gros rouge, bombées de blanc, teintées de fromage, sûrement La Crotte du Diable, dont l'odeur nauséabonde avait imprégné le papier.

Drôle de dégustation! pensait Blanche... Quel beau papier à lettres!... risquait Médée... Quelle grosse salope! n'en pensait pas moins le ministre saoul.

Deux ans plus tard, jour pour jour, Balloune à Médée débarquait à la station de Carleton, calotté comme il se doit, diplôme en main, barbiche en coin, embedainé d'une bonne centaine de livres de plus qu'à son départ et décoré comme il se doit de «L'ordre du Taste-Vin»...

Moment solennel dans l'histoire de ce village où paradent, pour la circonstance, les majorettes sous l'oeil d'Ovide Marcotte et du journaliste de *L'Aviron* rêvant déjà d'une autre première page à vendre aux archives du musée de Gaspé.

Balloune avait fait les choses en grand. Il revenait chargé de bonnes nouvelles et d'une cargaison mémorable de vin et de fromage directement apportée de Paris, de quoi faire une fête de village à faire pâlir de honte les noces de Cana.

Deux camions chargés à ras bord de caisses, de barils et de valises se dirigèrent, suivis du cortège des villageois, klaxons à fond, en direction de chez Blanche à Médée Thériault où Balloune séjournerait pendant son séjour en *«doulce Gaspésie»*...

Balloune avait dans ses bagages de quoi saouler le village de long en large, du gros rouge, du petit blanc, du vinaigre en quarante onces, de la ligueur de ci, de la fine de ça, alléluia l'carême s'en va...

De quoi constiper aussi l'ensemble du comté, même que les plus effrontés avançaient que «ça faisait chier en Ponce Pilate pareille cargaison de fromage, que c'était faire un affront terrible au *Cheez Whiz* de leur enfance, que l'ère du *Velveeta* était bel et bien terminée, que c'était péché mortel que d'engoter pareille peste couverte de vert-de-gris»... au grand désarroi du gros pâlot embourbé dans ses trois mentons, qui mettait ces réflexions sur le compte de l'ignorance et des préjugés.

Et, comme si la farce n'était déjà pas assez dindonnée, la brebis galleuse à Médée se coiffa d'un drôle de couvre-chef, confectionné dans du coton de poche de farine sans écriture, ce qui finit de faire pâmer les plus sceptiques qui s'attendaient à être confondus dans la minute.

La particularité de ce chapeau résidait dans le fait que, partant du navot, il montait en tuyau sur une douzaine de pouces avant que de prendre du ventre et s'affaler de tout son long comme une bouse de vache à laquelle on aurait donné un coup de pied. Sans les mouches et l'odeur, fort heureusement...

Comme s'il n'était pas déjà assez ridicule comme ça, Balloune poussa l'effronterie jusqu'à se couvrir, non pas d'une chasuble, ce qui aurait été plus à propos devant pareille communion, mais d'un tablier trois-quarts. Sa mâlitude en prit un coup sur-le-champ, ce qui ne manqua pas de lui faire une belle jambe...

«Grosse tatoune, risquaient les uns, si c'est pour te prom'ner en talons hauts qu't'as été t'faire mariner dans les Europes deux ans, fallait l'dire, j't'arais choppé su' mon établi, chrisse de gros fifi...»

«Woire si ça d'l'allure, manière de gros cochon, qui va nous montrer à nous aut' icitte asteur comment manger du fromage pis s'huiler le trou du cou, r'tourne d'ous-que tu d'viens maudit païen mal circoncis...» risquaient les autres.

Loin de se formaliser de critiques ne pouvant qu'être constructives, le gros boucle son tablier en esquissant un clin d'oeil complice à tante Blanche ne se possédant déjà plus... Puis, se grattant le postérieur tout en se dérhumant, Balloune à Médée demande une minute de silence en l'honneur de la France, avant le prononcé d'un discours visant à vanter les plaisirs de Bacchus tout autant que ceux des yeux de fromage.

«Chers compatriotes d'ailleurs et d'ici...» Il parlait en fixant le photographe de *L'Aviron* qui ne voulait vraiment rien manquer en cette heure des plus graves...

«Si je suis je retour au pays de mes amours, au pays de vos amours, au pays de nos amours, d'ailleurs et d'ici, c'est que j'ai compris, à l'autre bout du monde, en cette mère patrie qui ne renie jamais ses enfants, après de longues et magnifiques études qui m'ont mené au titre de *docteur ès oenologie*, que ma place était parmi vous comme celle du diable en enfer et de Dieu dans les cieux... que ma place était parmi vous en ce pays de mes amours, en ce pays de vos amours, en ce pays de nos amours, d'ailleurs et d'ici...

«C'est au pays des lèvres fines, des palais de velours et des mâchoires d'acier, que j'ai compris qu'il est bien révolu le temps de la baboche et du velveeta, des serrements d'gosses et du sirop d'cad'nas...

«Et pour vous prouver ma rédemption, ma joie soudaine et bucolique de tous vous retrouver, j'ai voulu vous faire part de mon attachement, de ma gratitude et de mon appétit d'ogre insignifiant, en rapportant du pays que vous savez, pays de mes amours, pays de vos amours, pays de nos amours, d'ailleurs et d'ici, de quoi vous emplir les tripes et la gargouille, les boyaux et les oripiaux, la queue et la citrouille... Mais auparavant, question de vous faire profiter équitablement de mon savoir à toute épreuve, qui deviendra, par la force des choses, avec un peu de bonne volonté, un peu le vôtre... laissez-moi, si vous le voulez bien, vous tenir le langage des vins en lieu saint...

«Sachez tout d'abord mes très chers amis, qu'on dit du vin qu'il est culotté lorsqu'il se roule bien en bouche, et voyez pour ce faire...»

Le gros toutou s'emparant d'une coupe, en empale une précieuse gorgée, avant de se mettre en frais de se gargariser, du bout des dents d'abord, en un étrange roucoulement qui n'est pas sans rappeler le jar faisant sa cour.

«Gros malade», crie un badaud...

«As-tu pas d'aut' choses à t'rouler su' la langue, pissette molle...» lance une autre.

Loin de se formaliser de ces velléités, l'oenologue continue son prône en ces mots lourds de sens: «Le vin a de la croupe, mes chers amis, quand il a de la rondeur, quand il est rond, émoustillant, qu'il est charnu, dodu, mordant et coulant...»

«Parle pour toi», lance en riant Ti-Guy à P'lippe, déclenchant du même coup l'hystérie générale au grand dam du saint homme qui perd de sa concentration à chaque intervention.

Puis enchaînant, il dit:

«On dit qu'il a un corps puissant, agressif, musclé, pansu... comme moi... qu'il est souple, qu'il est gras, et patati et patata, pipi d'chat...

«Question de solidifier mon discours qui, je le crains, a été plutôt liquide depuis ses prémices, tout en finissant de constiper les plus innocents qui se permettent de se moquer de vérités vieilles comme le monde, je voudrais, avant que ne débutent ces agapes des plus fraternelles, vous tenir des propos fromagiers pleins de gros bon sens et de... cholestérol...

«Sachez, pour débuter, que le fromage n'a point été inventé par *Velveeta*, que non! Que le fromage existe depuis bien avant la nuit des temps, que c'est un élément, pardon un aliment, bon sens ne peut mentir, je disais donc un aliment fabriqué à partir de lait caillé obtenu par coagulation du lait, dans votre langage de colonisé vous comprendrez: surissage du lait et qu'entre la poire et le fromage... il y a tout un monde... Que oui!

«Des fromages, il y en a bien des milliers de sortes et peut-être plus, il faut voir. Je me contenterai pour aujourd'hui, connaissant à ce jour... vos possibilités d'absorption des plus limitées, de vous en énumérer quelques-unes pour votre plus grand bien.

«Or, donc, je disais qu'il y avait le gruyère, l'emmenthal... mon préféré...»

«J'en doute pas, gros mental...» risque Titi à Tati.

«Le ricotta, le mozarella, le parmesan, le brie, le camembert, le blanc, à la crème, cottage, mytzithra, neufchâtel, tuma, bocconcini, caciotta, fior di latte, souris, alpina, feta, new bra, et ça fera, alléluia, j'ai chaud en d'sous des bras...

«Et maintenant, mes chers amis, que la fête commence! Buvez, fromagez, faites ce que bon vous semble et selon votre bon vouloir mais n'oubliez pas que, pour être heureux d'un bonheur sans tache, il faut vivre en harmonie dans un mélange de vin, de fromage et de bonne chère, que pourrais-je à partir de maintenant vous souhaiter de mieux sinon le paradis sur terre...

«Et, finalement, pour éclairer vos lanternes, je me tiendrai à votre disposition, pour ceux et celles, il va de soi, qui auraient le goût... de pousser un peu plus avant leur savoir en ces matières, en répondant au meilleur de mes connaissances qui sont pour ainsi dire infaillibles, à vos questions, donc en tout ce qui a trait aux particularités vins-fromages.

«Je vous propose, pour débuter le tout, un petit jeu, petit jeu inoffensif, basé uniquement sur la réception et la retransmission de ces deux sens que sont le goûter et l'odorat.

«Pour ce faire, je me laisserai bander les yeux et vous viendrez, tour à tour, me faire goûter et sentir le vin ou le fromage de votre choix; je devrai, à chaque fois, infailliblement, vous en donner le nom. Je vous promets d'avoir autant de réponses en bouche que vous en aurez en fourche...»

Le nouveau savant ne croyait pas si bien parler...

Dans une euphorie toute prussienne et gauloise, les villageois se lancent à l'assaut des fioles et du fromage qui disparaissent à vue d'oeil sur la table de cuisine de la tantouse Blanche, faisant ici office de comptoir de dégustation, pendant que le coq fraîchement débarqué fait son jar en s'aiguisant les argots sur la chair de poule des petites madames, frissonnantes à la seule vue de tant de fromage moisi et vert-de-gris à la puanteur épouvantable que le gros nounours engote sous leurs yeux avec amours, délices et orgues...

Pendant ce temps, Lionel et Ti-Gilles à Edgar, en parfaits jumeaux complices, sont à mettre au point un coup pendable qui mettra les connaissances du *docteur ès oenologie* à dure épreuve...

Connaissant trop bien, pour l'y avoir encouragée à maintes reprises, la faiblesse de tante Blanche pour le vin rouge, ils en profitent en bons lurons pour la mariner dans le bon sens du terme, sans oublier eux-mêmes d'en faire autant... question de se délier les doigts évidemment...

La fête bat son plein, on rit, on chante, on boit, on empiffre Balloune de fromages, de vins et de questions auxquelles son infaillibilité ne semble avoir de cesse, grâce à sa langue qui en ferait un bon politicien et à ses narines agrandies par les boules de papier journal à l'Académie d'odorat appliqué...

Blanche, Lionel et Ti-Gilles commencent à goûter l'ivresse du moment, chambranlant un peu, beaucoup, passionnément et comme à l'accoutumée, Blanche et les jumeaux commencent à se dégêner en choeur, du plumat, de la lèvre et de la cuisse...

C'est le temps ou jamais, pense Ti-Gilles en faisant un clin d'oeil à Lionel qui se retire pour s'enquérir du nom de certains vins, de l'année de certains fromages, question bien sûr de parfaire son éducation...

Commence alors une nouvelle ronde de devinettes. Lionel s'applique à découper en morceaux les fromages les plus puants se trouvant sur la table pour les porter, tour à tour, aux narines toutes jouissantes de tant de perversité du gros Balloune en sueur sous son grand chapeau.

À chaque fois, la réponse ne se fait pas attendre, à chaque fois aussi, grâce au petit carton posé devant chaque fromage, Lionel est en mesure d'affirmer l'infaillibilité du pansu qui ne semble pas vouloir se lasser de sitôt de pareil petit jeu.

En humant de long en large, Balloune, telle une prière, laisse tomber: Gouda... priez pour moi... Camembert... gardez-moi de l'enfer... Brie... prie pour moi... Emmenthal... évitez-moi le scandale...

On sait bien, pense Lionel, rira bien qui rira le dernier cependant que la ballade continue de plus belle entre un doigt et deux coups de narines, l'infaillibilité encore une fois se précise, se confirme...

C'est le temps ou jamais, pour Lionel, de savoir d'où lui viennent ces fameux dons de goûteur... sûrement de la prime enfance... d'un goût plus qu'accentué pour tout ce qui sent fort... et pique la langue...

C'est alors que Lionel se glisse dans la chambre où Ti-Gilles est dans le «chaud du meilleur» avec Blanche qui goûte, roucoule et déguste à pleine bouche voulue...

Sans perdre de temps, profitant de l'ouverture d'esprit de la tantine, Lionel, avec toute l'expérience qui est sienne, glisse un doigt... dans la Seine des plus polluées de la vieille fille qui se tortille... et de deux... puis, profitant de la marée haute, Lionel laisse dériver ses doigts, déjà passablement limoneux de plaisirs, entre la presqu'île de tante Blanche, parée à échouer le premier venu sur ses hauts-fonds si souvent visités par les jumeaux de passage.

Jugeant l'amounettage à point, Lionel retire ses doigts sans avertir, pour se rendre à la hâte, à la table de dégustation où Balloune entre deux mornifles sera tout à son aise pour juger un nouveau produit.

Lionel s'avance en disant vouloir participer à nouveau au petit jeu de plus en plus amusant de l'ogre des plus gourmands. Satisfait de tant de succès, l'oenologue se raidit, se concentre, ouvre ses naseaux grandeur nature à ce fromage des développé une accoutumance tout aussi héréditaire que légitime, avant d'affirmer:

«Je suis prêt... portez dès maintenant je vous prie, l'échantillon de votre très saine curiosité à mes narines des plus sensibles et infaillibles... à cet état de choses...»

Ni une ni deux, Lionel s'empresse de lui beurrer le dessous du nez à sa convenance...

«Un instant, je vous prie, que je me concentre en profondeur... Il est évident que nous avons affaire ici... à un spécimen des plus rares... voire très rare... en état... de putréfaction avancée... néanmoins... je trouverai... je trouverai...»

Les secondes s'écoulent, le gros se tortille, piaffe, se passe la main sur la rondeur sous son tablier, revient à ses narines, plus en sueur que jamais, pendant que Lionel se mord les lèvres pour ne pas éclater de rire et ainsi mettre fin à ce qu'il est convenu de nommer la fumisterie du siècle en Gaspésie...

Puis...???

«Reportez à mon nez, je vous prie, le si précieux spécimen...»

Sans se faire prier, Lionel reporte aux narines du grimaçailleux défiguré pour la circonstance l'onctueuse odeur, pendant que le goûteur s'agite et raidit de plus belle que le goûteur s'agite et raidit de plus belle sous son tablier, comme un étalon en manque, puis, en chuchotant comme pour lui seul... lèvres frémissantes: *Blanche Thériault 64...*

Biscornu la peau

Il était victime des pénombres
où les sens rencontrent le coeur...
Cocteau

Nel à Pipon était un numéro rare, un
treize de pique comme on pourrait dire. À
mi-chemin entre le fin filou et le fou fin,
Nel alimentait les conversations, de magasin général en perron d'église, de cochons
d'lait en brebis galeuses.

Nel était ce haut personnage de village
par qui tout, ou à peu près, peut arriver.
Ces êtres originaux, on les affuble souvent
de sobriquets dérisoires qui leur collent à
la peau comme plumes au goudron; sobriquets tels que «haut personnage» ou «haut
fonctionnaire» pour désigner des calibrés
de moindre importance, enfin passons...
de salon rouge en salon bleu, de nuit
blanche en idées noires, de petites vites en
grosses molles, pour en arriver à parler du
sujet qui nous intéresse ici, Nel à Pipon,
alias Biscornu la peau...

Digne descendant de branches en bourgeons, de sève en crème du pays, des

pipons du p'tit troisième, communément appelé, pour des raisons que je vous donne à supposer, Pipon-la-Botte.

Pipon-la-Botte de la coulée des Valentins, Pipon-la-Botte au sang chaud et à l'amounettage plutôt facile...

Si le Nel des «Pipon-la-Botte-du-p'tit-troisième-d'la-coulée-des-Valentins» avait la réputation plutôt saumurée, ce n'était pas à cause de sa beauté légendaire qui laissait plutôt à désirer, ni de ses jambes croches qui en faisaient un cowboy sans cheval, aux selles liquidifiées par le galop de sa robine en sa prairie stomacale et ulcérée, encore moins à cause de son nez pointu et accusateur.

Nel à Pipon ne payait vraiment pas de mine, ni d'autrement. Bas su'pattes, les yeux sortis de la tête comme un crapaud de mer ayant passé une journée au plein soleil, les oreilles décollées de la tête comme un satellite en mal d'orbite, les attributs écourtichés, le verbe en mal de conjugaison, à mi-chemin entre le futur intérieur à canoniser à l'évêché de Gaspé et le plus-que-parfait imbécile à coffrer à New-Carlisle-la-British, la tonsurée, la pédante ville au coeur froid et aux argots aiguisés à la jalouserie.

Malgré toutes ces bassesses essuyées par la nature, le Nel à Pipon ne semblait pas trop malheureux de son sort, lui qui avait réussi, avec le temps, à tirer son épingle du jeu grâce à un mononcle né avant lui, qui l'avait fait embaucher par le Canadien Matinal et où il travaillait depuis trente-deux ans. Quelques années encore et il aurait, comme bien d'autres avant lui, la montre plaquée or de ses cinquante ans de service, en cadeau ultime, de quoi passer sa retraite à jouer avec la queue d'un cadran ne demandant pas mieux que de prendre autant, sinon plus, d'arrière que son donateur: le Canadien Matinal.

En plus d'une job à l'année, d'un beau petit bungalow hypothéqué pour trente-cinq ans, par la Sale Hypothèque, Nel avait fini, après bien des efforts j'en conviens, par marier sur le tard une ancienne soeur grise réchappée des fours divinatoires du Très Haut Siège, Nana à Jack, alias mère Marguerite-du-Rosaire qui avait réussi, à force d'égrener et de mordre dans sa bride de couventine éconduite, à concevoir non sans péché, deux petits Pipon-bessons qu'on baptisa: Noé et Noël, à cause de l'arche d'alliance nouvelle et éternelle pour le premier et des boules du même nom pour le deuxième.

Avec une job à l'année, une belle maison hypothéquée, une voiture flambant neuve bon an mal an, deux descendants, et un p'tit peu d'argent en avant, comment ne pas être heureux? Qu'est-ce qu'un petit couple modèle, ayant réussi à se tailler une place au soleil des gros chars de la route 132, peut vraiment désirer de mieux?

Rien ou à peu près, sinon que de faire partie, pour madame, des dames de la Baie, des filles d'Isabeau, de l'Aféasse, des Défroquées anonymes et du Mouvement de la pastorale abrégée, le MOPA, à titre de présidente-fondatrice, nommée à vie.

Et pour ne pas être en reste, Nel a sauté la chèvre des Disciples de Colomb, s'est fait bouffer par les Tigres, baiser par les Optimistes et déculotter par les Richelieu avant que de se faire marguillier à main creuse et à front de beu'.

Un couple modèle, une vie comblée, débordante d'activités, deux rejetons taillés dans la pierre précieuse de la descendance de la fleur de l'âge, un couple heureux, des gens sans histoire quoi...

Pas trop vite...

Car malgré tout cet amour offert en rémission des péchés de la part de sa Marguerite-du-Rosaire, de ses enfants et de ses valeurs matérielles le plaçant au-dessus de tout soupçon, le Nel des Pipons était malheureux comme les pierres... de son patio...

Depuis sa prime enfance un mal sournois le tenaillait, juste là, ça commençait au plexus solaire pour descendre jusqu'au verbe et au complément, pour remonter subito presto à l'oeil, cet outil de la vue, ce sens qui fait tant jouir et quelquefois, comme dans le cas de Nel, souffrir.

Nel à Pipon était... exhibitionniste...

Nel à Pipon marchait sur la corde raide des sens, qui consiste à jouir du simple fait de s'exhiber, d'être vu, de choquer, de parader nu comme un ver à la face d'une grosse madame qui en perd son latin... sur-le-champ...

Un mal étrange, un mal sournois, un mal d'été... forçant le principal intéressé à courir les côtes et les caps, pour y déceler le gibier qu'il prendrait en joue.

Un mal s'attaquant surtout aux «tourisses», aux madames à la vertu suintante et redondante qui n'ont pas peur, au meilleur du jour, de se décalvâtrer le verbe et le pronom personnel à l'abri de la cabane à Eudore, ou encore à la plage de la fact'rie des Bernard, un peu plus cornailleuse et discrète, de par son site et sa fréquentation.

Un mal étrange, auquel Nel ne peut d'une attaque à l'autre, résister.

En effet, comment résister à cette folle envie de se déculotter en plein jour, à la face d'une beauté féroce qui ne demande d'ailleurs pas mieux que de s'offusquer au nom de la morale, de la marilité, de la fidélité, de l'amour fou et des boutons à quat'trous?

Comment résister autrement qu'en décrochant, en un cérémonial étrange, le costume de circonstance, avant que de pousser sa pointe sur les battures de la luxure, pêche-coques en main?...

Comment résister à ce besoin soudain de mettre toutes voiles dehors, foc au vent, mât tordu, sextant pointé, compas en l'oeil. Pour larguer vers ces visions étrangères et échanger, tel un Jacques Cartier des temps premiers, le miroir de ses envies contre une peau fraîchement dorée?

Comment résister au fait d'afficher en public ses «idées», ses «sentiments» en des actes qu'on devrait normalement tenir secrets? Comment résister à cette tendance pathologique à exhiber ses organes génitaux pour les moins originaux? À cette action de se faire voir, de se présenter, de faire un étalage impudent d'un luxe révoltant, d'exhiber ses décorations... ses médailles... ses cartes de compétence quand on a, depuis qu'on a l'âge de se souvenir, laissé tomber ses culottes à la première occasion, pour tenir le couteau par le manche?...

Car Nel s'en souvenait bien de ses intronisations, de ses initiations où, avec des plus vieux, dans le camp du Cap, il avait participé à ce qu'il est maintenant convenu d'appeler ses premières leçons d'éducation sexuelle.

En compagnie d'autres «pisse-secs» des alentours, combien de fois n'avait-il pas pris plaisir à participer à ces concours «d'aller-retour», apprenant à manier son arme entre deux coups de poignets sanctifiants et onctueux, d'où il était sorti plus souvent qu'autrement grandi et apaisé.

À cela vint s'ajouter au cours des années, les «tournois de boyaux» afin de déterminer le meilleur arroseur-arrosé du groupe, qui l'avaient chaque fois, fort bien honoré...

Il en avait été de même lors des finales de la Confrérie des déculottés anonymes, où Nel, maniant son outil avec de plus en plus de dextérité, avait tout raflé une fois encore.

Puis, avec le temps, apparurent les premiers poils et avec eux ce désir ardent, ce besoin vital de boutonner des roses, de la tige et de l'épine, de l'oeil et de la pétale, cette foudre de plus en plus incendiaire venant lui brûler les tripailles, le temps d'une éjaculation précoce, sans peur et sans reproche.

Ce n'est pourtant qu'à l'âge de chair que l'obsession maladive qui devait le hanter à tout jamais fit son apparition, par un après-midi particulièrement caniculaire, à l'ombre de la cabane à Eudore.

Pareil à un apôtre des temps jadis, il déambulait sur la plage, bâton de pèlerin en main, toujours paré à brandir son pinceau de lumière à la face d'une Marie-Madeleine en proie à la panique qui ne manquait jamais, d'une fois à l'autre, d'ameuter le village que le curé comparait déjà à Sodome et Gomorrhe, dans ses prônes lapidaires et dominicaux.

C'est à peu près à cette époque que, désirant élargir son auditoire, Nel à Pipon décida de se coltailler aux dames du haut savoir, aux tourisses de passage, échancrées plus qu'à l'accoutumée, occupées à se faire dorer la couenne sur la plage de la fact'rie des Barnard.

96

Et pendant des années, il hanta les plages, de juin à septembre, de pied en cap, en quête d'une belle à surprendre, pour le simple plaisir de sentir «le point culminant» lui fondre entre les cuisses, au même instant.

Sa technique était toujours la même: il s'approchait de sa victime à pas de loup, mettant pour ce faire ses oreilles de renard à contribution, puis la contournant, il se révélait dans toute sa splendeur de cervidé haletant.

Il faut dire que pareille cérémonie demandait un costume spécial, et que dans toute son intelligence lubrique Nel à Pipon y avait vu.

C'est ainsi qu'il se présentait aux belles du jour vêtu princièrement. Un panache d'orignal aux cornes pour le moins prometteuses le coiffait singulièrement, tandis que la peau de ce qui devait être le même animal, le recouvrait de pied en cap.

Imaginez la surprise pour la belle qui se dore au soleil, tout désir dehors et qui, croyant entendre un petit bruit, aussi subtil soit-il, ouvre les yeux pour s'apercevoir, éberluée, qu'un orignal en rût bouge à ses côtés.

La belle est prise de panique et, du même coup, clouée sur place, même si la tension diminue d'une coche à partir du moment où elle se rend compte qu'il s'agit d'un orignal à deux pattes...

Toujours coiffé de son panache à lastic qui branle et cornaille, Nel, en une sarabande savamment étudiée, tourne autour de sa proie en gloussant et en beuglant, martelant le sable de ses sabots de cuir façon artisanale, avant que d'entrouvrir la peau d'orignal en sa grandeur pour laisser voir «la corne du milieu» qui babiche à pleine peau, col romain écarlate, cloches au vent, laissant respirer du même coup ses attributs, son verbe et ses compléments directs et circonstanciels, assujettis à une claquette de valseuses désenlignées et époilées par la rugosité de la peau mal tannée les recouvrant.

Puis en gesticulant et en imitant alors une quelconque danse indienne, Nel s'approche encore de la principale intéressée que le hasard a bien voulu désigner, va-et-vient bien en main, pour entonner de sa voix nasillarde de bête de somme: «Le voici l'agneau si doux, le vrai pain des anges, du ciel il descend pour nous, accueillons-le tous...»

«Drôle d'agneau», se disaient les unes; «beau méchoui», susurraient les autres...

S'il est pour le moins inusité de voir un semblant d'orignal tourner et retourner autour d'une touriste faisandée pour la circonstance, il est assez rare aussi d'apercevoir un cervidé de nature plutôt chaude se branler la corne du panache du milieu, à la face d'une pimbêche des États, aux yeux grands et à la langue écumeuse...

Peut-être qu'en parfait visionnaire Nel à Pipon ne voyait là qu'une façon «polie» de vulgariser le libre-échange sur nos côtes gaspésiennes, bien avant la venue de celui-ci...

Comme quoi les visionnaires passent toujours pour des fous...

Continuant ses contorsions au grand soleil l'écrasant sous une peau de plus en plus écumante, Nel à Pipon piaffant outil en main, riche d'un râle suprême rappelant le cérémonial du rût chez l'orignal, crachait soudainement son trop-plein, son frisson d'étoiles à même son pinceau de lumière, en proie à une crise de coulisse, à la face de madame Touriste ne semblant vraiment pas familière avec pareille crème solaire.

Le jeu avait duré des années, au grand plaisir de Nel qui s'en trouvait comblé, jusqu'au jour où son oncle le fit engager au Canadien Matinal comme breakman.

Peut-être avait-il vu en cet emploi une façon de modérer les transports de son neveu qui commençait à faire drôlement parler de lui dans le village, même que certaines créatures menaçaient de porter plainte...

L'heure était grave...

Grâce à son nouveau travail, Nel était rarement à Carleton puisqu'il voyageait sur les freights, à la grandeur du Canada et qu'il trouvait bien, au hasard d'un congé dans un coin perdu, à satisfaire ses envies continuant de lui coller à la peau comme gale.

Il avait beau jeu pour ce faire puisqu'il agissait sous le couvert du ni vu ni connu; quelquefois, c'était du compartiment des bagages, alors que le train quittait une petite gare, qu'il en profitait, poche de patate sur la tête, pour exhiber sa mâlitude exacerbée à la face des badauds qui s'en tapaient sur les cuisses.

Ce qui faisait que son appétit était moindre à son arrivée à Pointe-Bourque et que, par le fait même, on entendait de moins en moins parler de lui; mieux encore, certains trouvaient qu'il agissait en vrai gentleman depuis le jour où le Canadien Matinal, par l'entremise de son oncle Archibald, l'avait pris à son bord.

Même que l'Archibald, qui avait décidé de le caser une fois pour toutes, avait eu le temps pendant les absences répétées de son neveu favori, de travailler le terrain humide du mariage avec le père de la défroquée, Yo à Nack qui, moyennant quelques gallons de Miquelon, accepta de laisser mariner sa fille par Nel, au plus coupant.

Loin de se surprendre du choix de son oncle qu'il savait raisonnable et facile à satisfaire, Nel plongea du haut de con célibat dans les fonds maritaux de sa Nana humide de vingt ans de chandelles et de doigté, en moins de temps qu'il n'en faut pour crier ciseau.

Et Nel avait pris femme, lit, envie, avant que de reprendre le train et son cirque qui, malgré la chaleur retrouvée de Nana entre deux escales, ne semblait pas vouloir le combler de ce besoin de se faire voir, de mettre ses preuves sur la table... comme il disait pour lui-même.

Avec le temps, les bessons étaient apparus et Nel, devant les demandes répétées de sa femme et de son vieil oncle, avait consenti à abandonner le train pour se confiner à la station de Pointe-Bourque comme vendeur de billets.

Et pour se changer les idées, il s'était embarqué dans trente-six groupements de

101

charité et de bonnes oeuvres où l'argent prend une place des plus importantes, consacrant le reste de ses loisirs à ses bessons d'enfants, son bungalow hypothéqué au troisième degré, son char à laver et sa Nana, de plus en plus nananeuse à force de prendre le tour et le goût de s'y tremper la racine...

Malgré tout, Nel à Pipon n'avait jamais renoncé à se défaire de ce panache et de cette peau d'orignal qui faisaient tant jurer Nana entre deux grands ménages dans le fond d'une garde-robe qu'il croyait pourtant secrète.

Jusqu'au jour où, n'y tenant plus, Nel décida de se recycler... en rechaussant panache pour juger si, après toutes ces années, l'effet tenait encore...

À la hâte, profitant du fait que sa Nana dirige une réunion du Mouvement de la pastorale abrégée, Nel se glisse sur la plage de la fact'rie des Barnard pour mettre ses bas instincts à exécution.

Il n'a pas à chercher longtemps puisqu'il repère, à portée de vue, une grosse madame d'un certain âge qui saura sûrement faire l'affaire, vis-à-vis la batture à Mounne.

Sans perdre de temps, Nel à Pipon se déculotte dans une sarabande des plus sensuelles laissant, par le fait même, entrevoir la viande autour de l'os qu'il entend bien pavaner au vu et au su de la bourgeoise, folâtrant déjà en des pensées dodues de frotte-minounes des plus bucoliques à n'en point douter.

Puis, revêtu du costume de circonstance, Nel s'approche de sa proie, ne voulant pour rien au monde, après tant d'années de retenue, louper son effet de surprise qui est déjà, en soi, toute la jouissance qu'il peut retirer de pareils jeux.

Le punch de sa vie... l'éjaculation est depuis si longtemps retenue qu'il risque d'y noyer son âme...

Le voilà fin prêt; le panache le coiffe toujours aussi bien et la peau, malgré une bedaine pour le moins imposante, arrive à le cacher décemment... pour le temps que ça durera du moins...

Son côté bestial prend désormais toute la place en son corps secoué par des spasmes violents, martelant ses tempes d'un gong qui ne laisse aucune place à l'hésitation et au tataouinage.

Nel à Pipon est ici pour officier; soit, il officiera contre vents et marées.

Jugeant le moment venu, ni une ni deux, le piponneux lance son cri de ralliement de bête en rût, en se mettant en frais de tourner autour de la visiteuse éveillée en sursaut se pinçant violemment pour bien s'assurer qu'elle ne rêve pas.

Elle n'a pas le temps de réaliser ce qui lui arrive que déjà il la cingle un peu partout de son bois numéro un, en levant du cul et en jouant du panache comme seul un apprenti sorcier peut le faire...

Quel lever de rideau mémorable, voire grandiose. Nel à Pipon, après tant d'années, n'a rien perdu de la chaleur et de l'agilité de la jeunesse. Que non! Infatigable, il se déhanche et se démène comme un beau diable dans l'eau bénite, en fourchant de tous bords et tous côtés...

Puis, au plus fort de son excitation, jugeant l'effet de surprise réussi, le faux cervidé s'écrase en resserrant la peau d'orignal par son milieu, les yeux chavirés, les naseaux suintants, renaclant à belle gueule, en poussant son cri d'orignal déchirant qui donne à penser... que le meilleur est déjà derrière lui...

C'était justement le moment que la grosse madame attendait pour porter son grand coup, elle qui en avait vu d'autres et des bien plus coriaces, habituée qu'elle était à chasser avec son mari de juge depuis vingt-cinq ans sur les limites à Lacroix.

Sans perdre une seconde à prêter l'oreille aux râlements qui se dissipent, l'Émérentienne s'empare d'un bois de grève qu'elle garde toujours à ses côtés au cas où... et se met en frais de lui en darder quelques coups dans la boîte à génie, question de lui mettre le plomb nécessaire en tête, pour le faire couler à pic dans l'inconscience à long terme.

En prenant ses jambes à son cou, la toutoune monte la côte de la fact'rie rien que sur un talon, pour s'arrêter tout droit au bureau où elle s'empresse de raconter sa mésaventure aux employés n'en croyant pas leurs oreilles.

En délégation, ils redescendent la grand' côte de la fact'rie pour cueillir le bidule encore inconscient dans son accoutrement on ne peut plus loufoque et dérisoire.

Nel fut emprisonné jusqu'à son procès à la prison de New-Carlisle, le temps de méditer et de penser qu'on ne passe pas n'importe quoi au-dessous du nez d'une madame juge, que non!

Et, comme par hasard, c'est le juge Lelièvre qui entendit le douloureux témoignage du corps de sa moitié, encore sous le choc un mois après, comme quoi la pièce à conviction faisait drôlement pencher la balance...

Comme l'on était en droit de s'y attendre, le juge n'entendait pas à rire...

Tant et si bien que Nel à Pipon fut condamné à trois ans de thérapie dans un centre spécialisé en fantasmes sexuels, qui saurait le guérir de cette maladie l'ayant trop longtemps traîné à l'état sauvage sur les plages de Pointe-Bourque autant que dans les freights du Canadien Matinal et ce, malgré les requêtes spéciales déposées tour à tour par l'oncle Archibald, Nana à Jack, les Tigres, les Disciples de Colomb, l'Aféasse et même, en dernier recours, le Mouvement de pastorale abrégée qui invoqua, comme à peu près tous les autres, la folie, mais sans succès...

C'est ainsi que Nel se retrouva sous bonne garde dans un centre montréalais spécialisé en gorlots de son genre, où on s'occupa de le rendre hors d'état de nuire une fois pour toutes.

Quand il débarqua du Canadien Matinal à la petite gare de Pointe-Bourque après tout ce temps, il était méconnaissable.

Maigre comme un bardot de cèdre et tremblant comme une feuille, il avait perdu l'usage de la parole.

Ses yeux s'étaient vidés de leur brillance d'antan, il ne se déplaçait qu'à l'aide d'une canne.

C'est assis dans sa chaise berceuse, aux côtés de sa Nana en prière, qu'il finit de bercer ses jours, coiffé de son panache dont il ne se départissait que pour dormir, et abrié de sa peau d'orignal blanchie en son milieu... ses yeux vides de bête de somme lorgnant sans cesse les créatures en petite tenue sur la plage de la fact'rie de plus en plus achalandée, depuis ce jour de la mort de la bête en lui l'ayant laissé sans vie à tuer le temps, remontant inlassablement la vieille montre en or de l'oncle Archibald mort de honte, le jour du retour de Biscornu la peau au village natal.

La Rose et le Narcisse

À toutes erreurs des sens
correspondent
d'étranges fleurs de raison
Aragon

On dit de la rose qu'elle est la fleur de l'amour, de la fidélité, qu'elle est plus sensible au vent que la girouette et qu'elle ressemble à une guimauve cultivée pour sa grande beauté, tout autant que pour ses fleurs colorées et odorantes, passant subtilement du blanc au pourpre et même au rose qui lui a donné son nom.

La rose est fille de vent, de Jéricho, de buissons sauvages et de grimpants.

La rose est amoureuse, frileuse, agréable à regarder, à frôler, à respirer, à sentir, à boire...

Rose à Narcisse, pareille à la fleur dont elle avait hérité du nom à sa naissance, avait toutes les caractéristiques de celle-ci.

Rose était femme d'amour, de vent et parfois... d'épines, quand son Narcisse de mari la repoussait de la pétale et du pistil en abusant de sa tige... un peu trop acérée

lui ayant au cours des ans rempoté quatorze beaux petits rosiers tous plus en
fleurs les uns que les autres faisant la joie
de Rose à tous points de vue.

Aujourd'hui que la ville, l'un après
l'autre, les lui avait ravis, Rose à Narcisse
s'ennuyait de ces enfants de sa chair partis courir le monde, la tête pleine d'am-
bitions, d'argent et de rêves, la laissant du
même coup à ses roses, sa seule famille
désormais, à qui elle donnait tout son
temps et son amour.

C'était aussi pour fuir la maison et la
marabouserie d'un Narcisse de plus en plus
détestable, à mesure que l'âge et la boisson en lui faisaient tant de ravages, qu'elle
passait ses journées en grand, dans son
jardin de fleurs qu'elle avait bien par centaines.

Toutes les variétés avaient le droit de
cité chez elle, à partir de l'oeillet, du bouton d'or, du dahlia, de la jonquille, de la
primevère, de la marguerite, de la fleur de
moutarde et des champs, de l'impatience,
de l'iris, des pois de senteur, de la verge
d'or et de l'oeillet d'Inde, en passant par la
section réservée aux épices et aux fines
herbes sentant la magie et le rêve, l'Orient
que Colomb n'avait pas su trouver en terre
d'Amérique...

Néanmoins, aussi bizarre que cela puisse paraître, ses fleurs favorites étaient la fleur de pommier et de lilas, justement parce qu'elle ne pouvait rien pour elles puisqu'elles appartenaient à la saison, aux pluies, au vent, au fruit et à l'odeur, ces fées indomptables que sa main de vieille dame ne pourrait jamais apprivoiser que par la vue et le toucher, quand le soleil ardent permettrait ces familiarités et en laisserait exhaler l'exquise odeur.

De mai à octobre, de l'aube au crépuscule, Rose passait ses journées dans ses plates-bandes, à désherber, renchausser, couper, transplanter, greffer et soigner ses fleurs de toutes les couleurs, dont elle respirait et le coeur et l'âme, une à une, comme pour bien s'assurer qu'elles étaient bien vivantes, surtout celles qui permettaient le doute, celles paraissant trop belles pour être vraies.

Elle avait toute la tranquillité et la paix voulue pour ce faire puisque Narcisse partait au petit jour et ne revenait, plus souvent qu'autrement, qu'à la nuit tombante, ivre mort.

Elle pouvait ainsi donner autant d'amour que de temps à ses amies les plantes qu'elle savait intelligentes et capables de deviner ses états d'âme, avec qui elle était tout aise d'ouvrir son coeur et sa mémoire, d'amie à amie, sans avoir à craindre la trahison, la moquerie, ou bien pire encore, la pitié... ce poison mortel compromettant l'existence des plus faibles et des plus démunis, cet arsenic pernicieux capable de venir à bout de tout ce qui vit et qui, tôt ou tard, finit par achever sa victime au nom de la fatalité et de l'intransigeance.

Elle pouvait, en ces jours bénis de rosée généreuse, respirer à pleins poumons ces parfums suaves de douceur et d'espérance, respirer tout son saoul, comme si elle eût bu d'une seule gorgée la mer, de ses narines frémissantes et émues, en faisant du même coup ce tour du monde qui l'avait menée tant de fois aux pays étrangers que les noms de ses fleurs n'étaient pas sans lui rappeler parfois.

Elle avait le nez des êtres qui devinent les choses, qui voient venir les événements, par-derrière et par-devant.

Poussant la connivence jusqu'en ses derniers retranchements il lui arrivait, les jours où Ti-Nesse à Malcome daignait fleurir sa vieille boîte aux lettres, de lire à haute voix en faisant les cent pas entre les sillons de son jardin, les missives de la ville qu'elle recevait occasionnellement, ces messages remplis d'amour, parlant si mal de la pluie et du beau temps, que lui faisaient parvenir ses bourgeons d'enfants tour à tour, comme pour s'excuser d'avoir, en des villes lointaines, trouvé d'autres bras, d'autres lèvres pour les couvrir, les chérir, les aimer, les arroser.

Rose comprenait pourtant bien ces départs à répétition qui l'avaient laissée un peu plus vieille, ridée, flétrie à chaque fois, un peu plus fragile au vent et à la pluie, ces ennemis mortels et jurés des fleurs qui, d'un souffle mal avenant ou d'une larme torrentielle, emportent en leur sillage, au soir venu, un nuage de pétales sans défense devant la fatalité, en se riant de celle qui reste, le coeur froid, à préparer la terre du retour...

Rose craignait la pluie plus que le diable ou la maladie, c'était viscéral chez elle, allez donc savoir pourquoi?

Quand elle sentait, par les soirées de chaleurs d'été, qu'un orage électrique fourbissait ses armes derrière la montagne, que quelques vieux nuages vagabonds fomentaient quelques rébellions, que l'or du couchant se mutinait à l'échancrure de la baie, Rose, en proie à la panique, devenait hors d'elle et se précipitait, malgré les reproches de Narcisse la traitant de vieille folle, vers son jardin afin de le couvrir, de le rassurer, de le mettre en garde aussi contre cette sensation nouvelle et rare de boire à pleine bouche goulue, à laquelle elles auraient pu être tentées d'ouvrir innocemment leurs corolles.

Peu après, dès que le tonnerre montrait ses cornes parées à fourcher l'éternité, Rose, pour calmer son anxiété, descendait à petits pas la route des Saint-On', bravant les éclairs et le crachin, pour se rendre à l'épicerie «Chez Méo» quérir quelques canissages dont elle n'avait pas vraiment besoin, moins en tout cas que le besoin de mettre de la distance entre l'orage dévastateur et son jardin de fleurs.

Saluant poliment, ses effets bien en main, madame Rose tournait du talon pour se mettre en frais de remonter la route des Saint-On' où, invariablement, quand elle en empruntait la dévirée, l'orage éclatait, vengeur et déchaîné, lui mordant les chairs et le corps et le coeur.

À la hâte, elle gagnait son humble demeure pour fouiller le châssis du nord donnant sur le jardin en charpie.

De là vient le dicton qu'il n'était pas rare d'entendre en ces soirées où elle daignait descendre la route des Saint-On': «Y va mouiller, v'là la Rose avec son parapluie ouvert...»

Avec le temps, la superstition avait fait place à la réalité. Il avait bien fallu se rendre compte que Rose sentait venir les choses, qu'il n'était pas une fois où sa marche ne donnait suite à l'orage électrique le plus effronté de l'été...

C'était subtil comme tout, cette sensation fragile et imperceptible qui venait lui couvrir les bras de frissons, lui mettre l'eau en l'oeil, de même que ce léger tremblement au menton qui ne semblait appartenir qu'à elle.

Pendant que Narcisse cuvait sa ponge en bonne éponge digne de ce nom, Rose telle une chatte ameutée par la souris prochaine, bondissait de sa chaise en faisant le tour des châssis, fébrile et apeurée, comme si une chose à la fois magique et hallucinante allait se dérouler sous ses yeux, dans l'instant.

Plus souvent qu'autrement, c'était juste après souper, sur le coup de six heures, avant le chapelet en famille, que Rose, n'y tenant plus, se signait, lampion allumé en implorant les anges du ciel tout autant que le Bon Dieu tout-puissant d'épargner ses pauvres fleurs sans lesquelles elle n'eût été tout à coup qu'un bouquet desséché rien que bon à jeter en terre.

Le Bon Dieu dans son paradis, s'il tient ses comptes à jour comme il est dit, devait pourtant bien savoir à quel point la vieille dame s'en remettait à lui en ces occasions, offrant en pèlerinage cette marche au magasin, elle qui depuis le jour de ses noces ne sortait jamais de chez elle sinon pour aller à la messe le dimanche, dans la boîte de la camionnette à Pierrot du Rat.

Trop d'éléments l'avaient contrainte à devenir, par-devers elle, gardienne de ce phare pour qu'elle consente à bout d'âge à l'abandonner.

Cela avait d'abord été la garde des vieux parents du Narcisse qui l'avait confinée à son rôle de gardienne des lieux puis, peu à peu, les enfants étaient arrivés, les uns après les autres, ronds de bonne humeur, potelés d'intelligence et d'éclat de vie, jusqu'à être pour un temps son plus beau jardin... ses fleurs de mai... ses impatiences aux couleurs nouvelles, venant ajouter ce je ne sais quoi d'amour à sa vie jusque-là sèche et aride comme bouture en mauvaise terre.

Il faut dire que la Rose n'avait pas été gâtée dans sa jeunesse, étant l'aînée d'une famille de onze enfants dont elle avait dû prendre la charge, le jour de la mort de sa mère et de ses treize ans.

Et l'âge était venu à son tour arrondir les angles, mettre un peu de couleurs à ses joues émues de goûter les frissons de la chair avec ce Narcisse un peu trop sérieux pour elle qu'elle croyait pourtant aimer au plus chaud de l'amour, dans la tasserie des libertés voluptueuses...

Du jour au lendemain, presque à son insu, elle s'était retrouvée baguée comme un pigeon voyageur, représentante familiale pour le compte d'un Narcisse de plus en plus gourmand et porté sur la chose, qui lui avait laissé les mains pleines et le coeur vide à mesure que la famillée prenait du pic et du ventre... et finalement le large... ce large gaspésien se nommant inévitablement Rimouski, Québec ou Montréal... ce large d'où l'on ne revient à peu près jamais... Ou si peu...

À peine une semaine en juillet ou en août, quand le saumon rondit sa rose chair en l'assiette, à force de mailloches et de barres nettes, quelques jours en été quand fraises, framboises et bleuets corsagent à pleines tartes, quand le pain de ménage roule des yeux, de la mie à la croûte, et que la morue plus barbue que de coutume se laisse raser de près, quelques jours en juillet, quelquefois en août... Quelques jours seulement, le temps de constater que le grand jardin potager où autrefois la rhubarbe, le blé d'Inde, les cosses, les bettes, les choux de Siam, le persil et les navots se disputaient le carreau est aujourd'hui envahi de fleurs... belles comme Rose des premiers temps... Rose d'avant les grands départs... Rose d'avant Narcisse enrobiné, politiqué, alambiqué...

Ce Narcisse qui n'est jamais à la maison, sinon pour manger et pour chialer que c'est trop salé, pas assez sucré, trop ci, pas assez ça, sinon pour lui reprocher de passer ses journées à jouer à la catin avec des fleurs sentant le diable, sinon pour lui rappeler qu'elle devrait sortir de temps en temps, voir du monde, aller magasiner, au bingo, aux dames de Sainte-Anne, se rendre intéressante quoi...

Même que ça commence drôlement à palabrer dans le canton... Sur quoi, repu de trop de bonnes mangeailles pour son mérite et de reproches à taloches, il disparaît pour s'en aller refaire le monde au grill «Chez Tante Jeanne», avec d'autres libéraux tous aussi ignorants et enragés que lui, ne jurant que par Taschereau et sa voirie.

Rose aime autant le savoir là, ça la repose tout en lui donnant tout son temps pour retourner conter fleurette à ses amies, de les couvrir avant la nuit, de fouiller le ciel à la recherche de quelques nuages rebelles et jaloux, pressés de déverser leur trop-plein sur des êtres sans défense représentant désormais sa seule famille... ces fleurs aimées... ces fleurs aimantes...

Rose était pourtant heureuse, de mai à octobre, à cause justement de ce jardin floral lui redonnant, pour un temps, ses airs de jeunesse. Grâce aussi à la visite de ses enfants, ses petits comme elle se surprenait encore à les nommer après tout ce temps, malgré l'âge et la ville qui leur ravissait un peu de leurs sourires, année après année, mais qui n'en demeuraient pas moins ses plus belles greffes, ses plus jolies racines, ses immortelles pensées, et malgré tout ses plus lointaines et ses plus secrètes, celles à qui elle ne pouvait pas donner tous les soins qu'elle aurait souhaité. C'est pourquoi elle se rabattait sur ses fleurs comme pour combler ce vide que le temps n'arrivait pas à cicatriser.

Ce temps qui creuse la distance du coeur à l'âme comme un fossé de générations et fait que les sentiments meurent plus souvent aux coins des lèvres qu'au ventre des parlures. Ce temps qui n'oublie pas mais désapprend cette candeur enfantine et fait que le coeur parle de lui-même en des mots que les yeux devinent, faute de paroles... parfois trop bien et par lesquels on ne peut rien, sinon continuer de piéger ses rêves avec tout ce que cela comporte de ruses et d'appâts, de flair et d'au-delà...

Son bonheur saisonnier semblait commencer à vouloir se faner en début d'aoûtage, en ce temps de faux-fuyant où l'air se refroidit le soir, où le serin est plus faraud et plus abondant, l'obscurité plus épaisse et plus effrontée.

Et puis août dans son mitan n'avait-il pas pour coutume de sortir de son grenier ce fameux orage électrique annuel qui venait tout remettre en question, de la chaleur à la frondaison, en passant par le bonheur de Rose semblant à son tour vouloir disparaître avec la belle saison.

Au fur et à mesure qu'août, par la porte d'en avant, entrait dans sa deuxième semaine, Rose devenait plus nerveuse, plus agitée, éprouvant même de la difficulté à dormir, ce qui ne manquait surtout pas de faire sacrer Narcisse un peu plus que de coutume.

C'est dans la doublure de ses chairs vives que commençait, vraisemblablement, à se former l'orage dévastateur la laissant plus brisée que ses fleurs, à mesure que l'âge écrivait son histoire entre les lignes de ses rides, généreuse comme pas une.

Elle savait pourtant qu'elle ne pouvait rien contre le temps, cet empêcheur de tourner en rond ni contre les éléments qui ne faisaient que répondre à des pulsions profondes sinon attendre que ceux-ci se manifestent une fois pour toutes, apaisant ainsi le firmament enfirouapé de ténèbres grisées d'automne malicieux.

Cette année-là, dans la nuit du treize au quatorze, Rose se leva pour fermer la fenêtre de la petite chambre de laquelle un vent du nord n'apportait rien de bon. Ne pouvant se rendormir, elle descendit à la cuisine bien avant le jour et se mit en frais de pétrir le pain du jour en toute tranquillité, avant que le Narcisse ne se pointe en maugréant du haut de l'escalier.

Pendant toute la journée, elle s'affaira corps et âme du mieux qu'elle put, à l'aide de vieux piquets, de bouts de lices et de toiles, à dresser une barricade de fortune autour de son jardin qu'elle sentait menacé plus que jamais.

Elle besogna ainsi jusque tard en fin d'après-midi avant que de rentrer fourbue préparer le repas du Narcisse qui ne manquerait pas, comme à l'accoutumée, de se faire attendre, en habitué qu'il était de manger froid... et de boire chaud... La ponge avant la soupe lui paraissait plus à propos et le ramenait à la bicoque, plus souvent qu'autrement à la nuit tombante, titubant et puant le gros gin de circonstance.

Comme sa grande fébrilité ne lui permettait pas d'avaler quoi que ce soit, Rose se décida, sur le coup de six heures, un peu avant le chapelet en famille, à sortir le vieux parapluie, rafistolé de bouts de zinc par Narcisse entre deux cuites, de la garderobe de la dépense avant que de revêtir ses épaules menues du vieux châle de ses premières amours, pour enfin se décider à descendre la route des Saint-On', plus solennelle que jamais sous le regard médusé des placoteux parlant à voix basse de pluie et de beau temps...

Certains n'étaient pas sans rire, à la voir ainsi déambuler par une chaude fin d'après-midi d'août, châle sur les épaules, parapluie ouvert sur la tête; certains parlaient de vieille folle, les autres, plus charitables, imputaient ce malaise passager aux fleurs, ses amies, tout autant qu'aux absences répétées de Narcisse occupé à voter des projets de lois entre deux rots et une langue dans l'vinaigre parlant vraisemblablement pour ne rien dire...

Rose, cherchant à se déblâmer, arriva au petit magasin en prétextant une petite marche de santé à l'épicier qui acheva d'ensacher sa canne de corn beef et sa bouteille de lait de magnésie avec un grand sourire aux coins des dents, avec l'air d'en savoir passablement long sur les marches de santé et les parapluies ouverts en plein soleil...

Sans farfiner plus que de besoin, elle tourna du talon en remerciant et reprit de plus belle la direction de sa maison, les épaules un peu plus basses qu'à l'aller, le parapluie toujours grand ouvert.

Roméo, le commis, qui savait trop bien ce que la visite annuelle de la vieille Rose présageait, se dépêcha de fermer portes et fenêtres, à tout hasard...

Bien lui en prit car aussitôt qu'il perdit la vieille de vue, au coin de la route des Saint-On', un éclair de fin du monde fendit le ciel dans sa largeur, suivi d'un roulement de tonnerre donnant à penser que le pire était sûrement à venir.

Comme de fait, sitôt après, de terrifiantes rafales porteuses de nuages crevés d'eau glacée, tirés par l'aquilon moqueur, se chargèrent d'occuper les quatre coins du ciel jusqu'à très tard dans la nuit.

Des pétarades démoniaques, ponctuées d'explosions de lumière, foudroyèrent la voûte des cieux pendant que de longs faisceaux de zigzags, fils de Jupiter, se relayaient pour hanter les ténèbres de plus en plus furieuses et menaçantes.

Ce n'est qu'à l'aube que le ciel consentit enfin à se défaire pour de bon de sa défroque sombre et que Narcisse put rentrer chez lui, plus titubant que de coutume.

C'est à lui, dans toute son ivresse frelatée d'amour refoulé, qu'il revint de trouver, en montant la route des Saint-On', de trouver foudroyée, morte, la Rose, dans le côté du fossé, à quelques centaines de pieds à peine de la maison, le parapluie brinquebalant de zinc gisant épars à ses côtés, fendu en son milieu...

À la fois stupéfait, dégrisé et anéanti, Narcisse chargea sa Rose sur son épaule et la porta jusqu'à la cambuse où il l'allongea sur le canapé de la cuisine avant de marcher chez le voisin pépère Gueux pour appeler le docteur et le curé.

Ils ne mirent pas long à arriver et à constater qu'il n'y avait plus rien à faire, que la Rose avait trépassé depuis plusieurs heures déjà.

126

D'instinct, n'y tenant plus, Narcisse, se marchant sur le coeur, se dirigea vers le jardin de fleurs pour constater de visou que malgré la forteresse si durement érigée par la folle besogne de Rose la veille, tout avait été défait, arraché, brisé, fané... absolument tout sauf... une rose. Une rose, rose comme la Rose qu'il avait cueillie jadis en ce fani, où le foin, leur complice de chair, sentait bon toutes les fleurs du monde, sentait bon la volupté et le désir... ces fleurs de vie, ces fleurs aimées, ces fleurs aimantes sans quoi rien n'est possible.

Sans prendre garde, il se pencha pour la cueillir. Mal lui en prit car une épine, finement camouflée, le piqua au sang.

En y regardant de plus près, il comprit vite pourquoi quand il vit, sur sa pétale gauche en forme de joue ronde, une goutte d'eau ressemblant à s'y méprendre à une larme...

Dès lors, il comprit le pourquoi du jardin dévasté, de l'épine et de la larme...

Au même moment, un chaud vent de compassion souffla sur le jardin en guise de brise matinale, venant du nord...

Mais déjà, l'aube finissait de chausser le jour, qui ouvrait les yeux plus grands que de coutume, chargé d'or, de pourpre et de mystères...

Visionnaire et rat de dump

Laissez le fruit mûrir au fond de son loisir
et sans que le pourrisse un brusque repentir...
Supervielle

Barbe à Marin Aspirot était ce qu'il est convenu d'appeler ici un ramasseux-patenteux, défourrasseux-gosseux, varnousseux-brocanteux de profession, visionnaire hors pair, encanteur-beau parleur, rat de dump et vicomte du troisième rang de Saint-Jules de Cascapédia.

De si beaux titres, très mérités et très peu méritoires, ne manquaient pas de lui faire une belle jambe, de la cuisse au talon en passant par les varices et les démangeaisons nocturnes, diurnes et communes à tout chiffonnier de bon acabit digne de ce nom.

C'est donc dire que Barbe à Marin, dans toute sa sagesse ancestrale de grippe-sou, avait depuis sa plus tendre enfance développé ce goût démesuré de posséder le monde et avait choisi pour ce faire de s'attaquer à ces microcosmes détritussiaux de société de consommation que sont les dépotoirs à ciel ouvert, disséminés ici et là, le long de la route ceinturant la péninsule gaspésienne.

C'était une jouissance pour lui de ramasser, collectionner, rapporter toutes sortes de cochonneries défraîchies et dépareillées, nauséabondes et moisies, toutes plus inutiles les unes que les autres.

L'odeur d'un dépotoir en feu avait un effet charnel sur Barbe à Marin qui s'en trouvait le coeur chaviré à chaque fois. C'était à la fois un mélange d'ivresse et de drogue qui s'emparait de lui à l'instant où il reniflait à pleins naseaux ce baume embroucané de puanteurs brûlantes lui donnant l'énergie débordante de virer la dump à l'envers dans l'espoir d'y trouver un vieux matelas, deux bouteilles vides, une vieille batterie, un morceau de cuivre ou une ferrure rouillée, un surplus de patates ou de légumes, ou encore des habits du dimanche qu'il se chargerait bien de recycler en semaine.

Car, pour recycler, Barbe, en bon visionnaire, avait découvert les joies et les ressources du recyclage bien avant que la radio grinçante de CHNC New-Carlisle et la télé de Carleton ne s'emparent de ce grand mot qui n'était pas sans étouffer plus d'un curieux, ignorant jusque-là que les dépotoirs sont de petites mines d'or menant tout droit au ciel... ouverts à la senteur et à la pollution nocturne... des vieux matelas échancrés par les rats de dump autant que par les requins de la finance pressés de s'y vautrer la malhonnêteté, sous l'oeil des charognards usuriers s'en délichant d'avance.

C'est ainsi que Barbe, en parfait monsieur digne de ce nom, grâce à la générosité dépotoirienne, était toujours bien mis. Il faut dire que c'est plutôt rare de voir arriver dans un tel endroit un gentleman vêtu d'un habit deux fois trop grand pour lui, cravate à pois en laisse et souliers fins pour patauger dans le jus de pipi et le sirop de caca de poches fendues, de panses de vaches, de suies fumantes et d'éguibages de morues pourrissantes, hypothéqués par les vers s'en donnant à coeur joie en ce festin de rois.

Pareil énergumène a bien du mal à passer inaperçu, surtout si une tignasse poivre et sel lui assaisonne le bas du cou, qu'une paire de favoris à la Elvis Presley lui mange les tempes et le bord des oreilles et qu'une barbe de trois jours où on peut lire le menu de la semaine finit de caricaturer le faciès de cet extra-terrestre pourtant bien terrien à en juger par son langage de païen qui n'a rien de très «au-delà»...

Un être pour qui les quotas et le quorum sont des gros tas et des rectums, pour qui le tofu ne tient pas sur le carreau, les subventions sont des plasters sur des jambes de bois, les ministres des gros cochons boucanés par la haute finance engraissée par le patronat, pour qui les députés sont des pissettes molles plus enculés qu'enculables et le clergé un cirque à pompons violacés pour qui la crosse n'a pas plus de secrets que le cancer du poignet et l'apothéose du foie...

Un être pour qui la reine est une sacoche en peau de circoncis s'étirant au gré des convenances des lords imorouités au troisième degré, les touristes américains des restants de faillite dans tous leurs états et pour qui finalement la chose est à l'amour ce que le diable est aux vaches, le temps de donner son lait... ou sa crème, pas plus...

Un être assez particulier comme vous voyez, qui n'est pas sans représenter un certain intérêt tant de par ses vues que de par sa gestuelle de sparageux professionnel pour qui les mimiques et le rondissage des mains parlent beaucoup plus que tout le reste...

Un être se signant devant monsieur le curé en lampant une gorgée de gin avant de réciter, sourire aux lèvres: «Je vous salue Marie pleine de grâces, la vache est pris dans la vase, Sainte Marie mère de Dieu, arrachez-les par la queue...»

Un être de ce charisme n'est souvent pas des plus prisés par le pouvoir moral du village constitué, plus souvent qu'autrement, du curé, du notaire, du licheux du député et de tout le ratafia pas très très convenable à ce genre de gorlot mariné au gros sel d'une baie on ne peut plus en chaleur.

S'il est facile de brosser le portrait d'un politicien en insistant sur sa main creuse et son cou croche, s'il l'est tout autant de le faire pour un curé en mettant l'accent sur la redondance de sa panse, de sa science et de son fin «perler», s'il est aisé de décrire un homme de loi en insistant sur le fait que le droit est au magistrat ce que l'honneur est aux menteurs, il en est tout autrement lorsqu'on a affaire à un hurluberlu de la trempe du célèbre, de l'immoral, du Très-Haut, du dignitaire, de l'honorable Barbe à Marin, éboueur sans bouée de père en fils, homme au goût des plus développés, bon vivant, coloré, célèbre, original, pur, unique, vrai et sans quartier, j'ai nommé: Barbe à Marin...

Comme ci ce n'était pas déjà assez de courir les dépotoirs du comté, Barbe, sur le tard, s'était découvert des talents d'encanteur le menant aux quatre coins de la Gaspésie pour officier illico, sans plus de préambule dans le vestibule du scrupule.

C'était un encanteur des plus recherchés parce qu'il maîtrisait très bien l'art de l'encantage consistant dans le fait de parler très vite et de gesticuler beaucoup. Parler vite et haut et bas, de façon à laisser croire que la mise est beaucoup plus haute qu'elle n'y paraît vraiment, quitte à revenir en arrière sans que rien n'y paraisse grâce à ses célèbres imitations de cochons et de députés, de vaches et de ministres qui sont très prisées par les acheteurs.

Une perle rare que ce Barbe à Marin qui aura marqué à sa façon la petite histoire gaspésienne de verte couleur...

Barbe était issu d'une famille de coeur en friche et d'âme en vaillance pour qui le labeur et la sueur ont bien meilleur goût que le savon d'odeur des grosses madames de la ville à la raie huileuse, une famille nouée aux tripes et à l'appartenance, solidaire et généreuse de tendresse et de sentiments, pour qui les racines sont des grimpants au coeur aimant...

Pas étonnant donc que sa Loulou Bérubé de femme soit une perle rare, un rubis, une soie toujours au coton, pour qui les draps de flanellette du rempotage direct et circonstanciel n'ont pas plus de secrets que le jus de cerise de virginité acoquiné à la liqueur de banane de son gorille de Barbe, plus fringant qu'un coq de village pour une poule de la ville fraîchement débarquée...

Loulou des beaux jours, de la race des palais noirs et des jarrets dodus, qui avait fait la noce... la fête... l'amour... la vie... jusqu'à s'en retrouver – dans la mesure du possible – partie pour la famille aller-simple en fourche, direction couches et biberons...

Loulou qui avait fait en sorte de donner à Barbe, grâce aux fruits de sa semence en bonne terre, une quatorzaine de petits marins joufflus et beaux comme des coeurs après neuf heures, ressemblant étrangement à leur mère. La Loulou des amours dans le noir qui avait donné à Barbe le plus beau des trésors, en faisant simplement en sorte que la race ne se perde pas.

C'est pourquoi son Barbe de mari, en proie à une insécurité maladive depuis sa naissance, galopait les dumps à hue et à dia, à plus et à plat, pour boucler la boucle, en travaillant à ramasser un héritage digne de mention pour ses rejetons qu'il aimait tant.

Ces r'jetons qu'il initiait au métier le jour de leurs trois ans, en leur faisant visiter le dépotoir de Carleton, le plus gros des alentours, avec vue sur la mer et vieux fer assuré.

C'est ainsi qu'entre un rempotage et une greffe à l'arbre de vie de sa Loulou chérie, Barbe travaillait à construire sa forteresse, à ériger son royaume, à bâtir son domaine au grand désarroi de sa Loulou de femme commençant à trouver que le dicton: «l'ambition tue son homme» prenait ici tout son sens.

Jour après jour, sans se préoccuper de ses «discours de femmes qui parlent pour parler...», Barbe continuait de vider les dépotoirs environnants, se dépêchant d'apporter ses nouvelles trouvailles à pleins camions et à grand renfort de coups de klaxon selon que la trouvaille était de taille ou non, au grand plaisir des enfants qui n'auraient pu rêver de plus beaux terrains de jeux, ou plus vastes parcs d'amusement alliant le moderne à l'ancien, les poux à l'odeur, la joie à la stupéfaction...

Et lorsque la Loulou, exaspérée plus que de coutume, élevait la voix pour reprocher à son Barbe de vouloir à tout prix en faire des rats de dump, elle qui rêvait de les universifier à tout prix, de les dépouiller des trésors de tôles rouillées pour les vêtir du lange du fonctionnariat aux mains blanches et au cou limé, Barbe répondait presque inévitablement, comme pour se déculpabiliser et combler encore une fois cette insécurité trop grande pour lui: «Maudit tabarnaque de prostate en claque basse, de ligatures des trompes à noeuds coulants, de descentes de vessie en toboggan, de cuisses pleines de varices, y s'ra pas dit, tant que j's'rai du monde, qu'ces enfants-là aront rien pour s'amuser, s'habiller, se nourrir... Pas besoin d's'app'ler André Lacroix, de fumer l'cigare, de péter plus haut qu'son cu' pis d'avoir les mains blanches comme un hostie consacré pour rendre ses enfants heureux... y's'ra pas dit, entends-tu, qu'y'aront manqué d'queuque chose d'un bord ou d'l'aut', des bébelles y'en ont, pis fie-toé su' moé y'ont pas fini d'en avoir... maudits péchés mal confessés

139

de bédaines en bas d'la ceinture, de coat à queue, de culott' en bas des fesses... y'en ont pis si tu veux penser comme moé, y'ont pas fini d'en avoir... pourriture maudite... de souliers d'beu parcés...»

Sur quoi le débat se trouvait ajourné jusqu'à la prochaine...

Barbe n'en continuait pas moins ses investigations aux quatre coins du comté, toujours heureux de revenir avec des charges frisant le ridicule tant par l'écrasement du camion sous le poids que par le contenu des plus loufoques s'y trouvant et ce, malgré les reproches de plus en plus répétés de sa Loulou n'en continuant pas moins de penser que ses enfants pouvaient être heureux sans avoir à se vautrer dans les restes de luxure désaffectés et de moisissure avancée de tout un chacun.

Et là n'était pas le pire. L'envers du meilleur, comme on pourrait dire, résidait dans le fait que les voisins, après une brève concertation, en étaient venus à la conclusion, en comparant leurs comptes de taxes, que leurs demeures, malgré tout l'effort effectué au cours des dernières années sur le plan paysager pour les mettre en valeur, avaient été au cours du dernier exercice, *dévaluées... insulte suprême!...*

Et pourquoi? À cause de Barbe à Marin et de son dépotoir à ciel ouvert...

Trop c'était trop; il fallait agir et vite...

Une mise en demeure suivit, que Barbe en riant envoya valser avec les flammes du purgatoire sous le rond du poêle.

N'en restant pas là, les «Voisins anonymes» décidèrent d'ameuter les autorités composées de messieu' le curé, du maire, des conseillers, du licheux du député, du député lui-même profitant d'une livraison de télévision... et même, offense suprême, du chic et chiant ministre de l'Environnement, maître à penser de la pollution du fleuve au troisième degré et des dépotoirs à ciel ouvert sur terre...

Il faut dire que pareil étalage de bric-à-brac au grand jour ne plaît pas nécessairement au commun des mortels, surtout quand le dit cirque... le soi-disant parc d'amusement est situé en plein coeur du village, à quelques centaines de pieds seulement de l'église, du presbytère, du magasin général, de la salle municipale, de la maison du notaire d'un côté, de celle du licheux du député de l'autre, et qu'en face se trouve... l'avocat le plus en vue de la Gaspésie: maître, car en ces cas il faut dire maître, René Poirier a.c. rien de moins, ennemi juré de Barbe à Marin depuis le jour où ils étaient voisins de carrosse, c'est vous dire... et le long et le court, et le fond et le tour.

Le temps passe, la famille s'étire, Loulou marine un quatorzième petit Barbe avant de se voir contrainte par le docteur Cormier à mettre la clef dans la porte ...grande opération oblige...

Tous les matins à l'aube, Barbe à Marin, en se passant la langue sur les lèvres une fois son barda terminé, fait le tour du propriétaire à petits pas, ce domaine en pleine expansion qui en est encore, selon ses pronostics, à ses débuts: débuts prometteurs soit, mais débuts quand même...

L'oeil au gris, les narines embaumées de ce parfum si doux, Barbe fait le tour à petits pas de son pécule si durement accumulé, constatant au hasard de son inspection que ces «hosties de corbeaux sans vergogne» ont encore éventré sa montagne de matelas d'où sortent par endroits des ressorts rouillés, de la bourrure et un mulot à la fois surpris et chez lui; que son tas de vieux fer commence à prendre du ventre en pas pour rire; surtout, pas question d'en vendre! Barbe préfère attendre pour ce faire que la conjoncture se mouture, qu'une nou-

142

velle guerre mondiale vienne en faire monter le prix; il constate aussi que sa butte de vieilles batteries en mal d'acide vaut son pesant d'or, avant de faire le tour des nombreuses carcasses de vieilles voitures dressées en forteresse à l'extrême limite du domaine, ne manquant surtout pas d'avoir une bonne pensée pour chacun des anciens propriétaires qui ont si vaillamment contribué à jeter les bases d'une entreprise en pleine expansion.

Une entreprise qui mettra, si guerre il y a, la Gaspésie sur la carte du monde grâce à cette montagne de vieux fer indispensable à toute armée responsable de la refonte de ses valeurs premières...

C'est vraiment tout un spectacle, et pour l'oeil et pour le nez, que de voir défiler sous eux un pareil étalage de formes et de couleurs, véritable orgie d'objets épars et méconnus, disproportionnés et biscornus ayant l'effet d'un arc-en-ciel en sa cour, comblant du même coup ce goût, cet appétit, ce besoin, cette soif de posséder tentant bien difficilement de combler ce besoin d'insécurité de plus en plus gourmand.

Doucereux bien-être procuré par cet amas de détritus lui laissant croire pendant un temps qu'il est millionnaire en brassant son p'tit change dans ses poches comme un doute de la ville en voyage de noces à Percé...

Cela le rassure et le flatte à la fois de penser qu'il laissera sa couleur à l'histoire tout autant qu'au patrimoine local...

Ajoutez à ce bazar multicolore une trentaine d'oies criant leur faim de blé de plusieurs jours, deux cochons gras à fendre à l'ongle pataugeant dans leur marde, la yeule fendue jusqu'aux oreilles, quelques vaches s'aiguisant les cornes sur les poteaux de batterie, un coq faisant le jar sur le faîte de la montagne de vieux matelas aux ressorts rouillés par les pluies de plus en plus acides, commanditées par le chic ministère de l'Environnement, de même qu'un beau percheron belge que Barbe, en toute fin de tournée, s'amuse au doigt et à l'oeil à faire danser sur les pattes d'en arrière pour épater les enfants, la Loulou et la galerie... composée de quelques touristes pressés de croquer en photo pareil paradis terrestre... Et ce matin-là, s'ajoute un visiteur: un inspecteur du ministère de l'Avertissement du Québec...

Un inspecteur de l'environnement parachuté tout droit de Québec à la demande du maire, du curé, du licheux du député,

144

du député lui-même et, en dernier recours, du premier magistrat gaspésien à accéder à la notoriété publique, voisin d'en face, ennemi juré de Barbe à Marin, j'ai nommé: René Poirier a.c.

Un monsieur l'inspecteur qui n'entend vraiment pas à rire après une nuit blanche passée à se faire brasser sur le Canadien Matinal; qui demande tout de go à visiter l'objet de ces plaintes, ce à quoi rétorque Barbe en riant: «Allez-y tout seu' comme un grand garçon qu'vous êtes, vous avez parti d'Québec pour v'nir sentir par icitte, ben sentez, envoyez, avec le nez qu'vous avez là, chu pas inquiet pour vous... avec c'qui y'a à sentir... Fais-les l'tour d'la cour, maudit grand efflanqué de péché contaminé, as-tu peur de t'écarter, grosse vache... tu peux même aller qu'ri l'avocat pis l'curé... y vont t'mettre dans le droit chemin chu pas inquiet...»

Sur quoi, le mandaté gouvernemental disparaît derrière la montagne de matelas dont la seule vue lui ferme un oeil, en bon fonctionnaire, avant de faire connaissance avec le coq lui picochant les jarrets, les cornes de vaches, les vieilles batteries, les bouses encore chaudes, la cassure de grain pourrissante et, finalement, les vieux chars parqués pour leur dernier voyage; puis il regagne la masure où l'attend, les pieds sur la bavette du poêle, Barbe à Marin, sourire en coin, le favori fardocheux et l'oeil en phare.

Le messieu' entre, enlève son chapeau cabossé et jauni de sueurs et de plaintes avant d'annoncer ses couleurs: «Je crains très cher messieu' Aspirot que les plaintes dont vous faites ici l'objet ne soient fondées... A-t-on seulement idée d'exposer ainsi pareils paquets de détritus déshonorants et nauséabonds et qui plus est... pareil étalage de charognage aux quatre coins cardinaux, et qu'en dirait le cardinal aussi léger soit-il... Oui, de charognage, vilain personnage, le mot n'est pas trop fort... même s'il vient de messieu' le curé et de l'avocat. Il va nous falloir agir vite et bien, je le crains, pour le bien-être social du voisinage, des taxes, des touristes et du gouvernement... y'a des môdites zimites au cochonnage après toute... C'est bel et bien fini c't'éparris-là... vous aurez de mes nouvelles sous peu...»

«Si c'est fini, comme tu dis, ton chrisse de sarmon, ben diguidinne pis ça presse en tabarnak' à deux sièges, parc'que j'm'en vas t'fourcher en Chinois d'la sainte enfance, pas avec ma fourche à rein, tu s'rais ben qu'trop content... avec ma fourche à foin maudit païen... c'est déjà d'rest' pour un blé d'Inde à vache comme toi, maudit fonctionnaire de mon cu' sale qu'a pas d'aut' choses à faire que d'écoeurer l'peuple... dehors mon saint-ciboire avant que j'voye noir.»

Apeuré, le fonctionnaire se sauve en oubliant son couvre-chef que Barbe prend bien soin de piétiner et d'arroser de crachats avant de lui lancer pendant qu'il riposte crotte au cul: «Vous aurez de mes nouvelles bientôt, monsieurre l'éboueur sans honneur...»

«Des nouvelles, j'ai ai à toué soir à tévé si tu veux savoir pis y viennent pas de toi crains pas...»

Et Barbe se rasseoit dans sa berçante un peu inquiet, l'oeil sur son domaine... un peu moins gris que de coutume...

Et pour cause... après la visite du fonctionnaire c'est à celle du b'letteux à Ti-Meunne Quinn qu'a droit Barbe à Marin, l'homme de goût au sens de l'honneur aiguisé à sa manière.

Une sommation de payer en amende comme contrevenant au ministère de l'Environnement, la jolie somme de 500,00 $,

allez donc penser... en plus de devoir dé-
ménager... maison, bâtiment et gréement
ayant été déclarés hors-la-loi au village... ou
à défaut de payer, quinze jours d'empri-
sonnement. Un homme loyal comme Barbe
n'allait pas se jeter dans des filets aussi
maillants que ceux-là, c'était bien mal le
connaître que d'oser penser ainsi.

Comme de raison, Barbe préféra la prison où il passa quinze jours de vacances à
New-Carlisle, peu habitué qu'il était au
repos forcé, juste ce qu'il faut de temps
pour réfléchir et reposer du même coup sa
femme Loulou de le voir arriver jour après
jour avec de nouvelles charges de cochonneries de tout genre.

C'est ainsi que frais et dispos, il se mit
en quête, dès sa sortie de prison, d'une
terre de toute tranquillité où il pourrait dé-
ménager ses pénates et avoir la paix une
fois pour toutes... cette paix si nécessaire à
l'érection de ce domaine qui le hantait toujours.

Peu de temps après, Barbe revint à la
maison, grand sourire aux coins des dents,
pour annoncer à sa Loulou qu'il venait
d'acheter une terre au troisième rang et
qu'il déménageait avec armes et bagages
sous peu.

Elle n'en voulut rien savoir et bientôt, à bout d'arguments, elle plia l'échine comme toujours au nom du dicton qui dit si bien: «Qui prend mari prend pays...»

Et pendant plusieurs mois, Barbe aidé de ses enfants et de quelques voisins heureux de le voir enfin partir, emporta son gréement vers des cieux plus cléments qui avaient tout intérêt à croire en sa cause et ses tourments.

Au fil des ans, Barbe continua de courir les dumps et les encans en imitant le cri du cochon avec plus de conviction depuis le jour de son déportement, toujours en quête de la trouvaille du jour, brûlant ainsi la chandelle par les deux bouts... même si plus souvent qu'autrement la cire était de plus en plus dure à trouver... sinon dans ses oreilles de plus en plus récalcitrantes et fermées aux reproches de Loulou qui se demandait où et quand ce goût de possession trouverait son contentement.

Pendant ce temps, tour à tour, suivant les recommandations de leur mère, les enfants avaient gagné la ville en quête d'instruction pour devenir tour à tour maîtresse d'école, vendeur, avocat, notaire, fonctionnaire... au ministère de l'Environnement... et quoi encore pour s'assurer une vie décente à l'abri de leur illustre père Barbe à Marin, de plus en plus seul, sans enfants, sans voisins, avec pour unique fortune son irremplaçable Loulou, son dépotoir à ciel ouvert et... ses crises d'angoisse de plus en plus répétées, causées par l'insécurité reliée au départ des enfants, de même qu'à la disparition de plus en plus probable des dépotoirs gaspésiens dans un avenir rapproché...

Sa seule joie désormais, résidait dans le fait de faire le tour de son royaume, mains bien en poche, pour constater que sa montagne de vieux fer s'approchait du ciel de bedonnante façon, au bout du terrain, et de s'asseoir à chaque jour dans une vieille carcasse d'automobile différente en s'amusant à tourner le volant tout en jouant avec le bras de vitesses, se croyant ainsi pour un temps à la poursuite des clochards célestes de Jack Kérouac sur les routes de Californie...

C'était sa façon à lui de voir du pays, de combler ce besoin de sécurité que de partir en no where dans sa tête, sa façon à lui de rondir le matelas, de recharger sa vieille batterie fatiguée et en proie à des crises d'angoisse de plus en plus sournoises et violentes, sa façon à lui de brûler la route à bord de ses vieux chars qui le menaient où il voulait sans essence ni plaque, sans visa ni passeport.

C'est dans la vieille Météor de l'avocat René Poirier que l'acheteur de batteries de Campbelton le retrouva un beau jour.

Il était accoudé à la portière la tête pesante, on aurait même dit qu'il dormait, sourire aux lèvres, ayant bêtement succombé à une crise d'angoisse alors qu'il roulait probablement, dans sa tête, dans le désert du Nevada ou aux abords du Grand Canyon... l'émotion avait sans doute été trop forte cette fois...

Rien qu'à voir son sourire plus grand que de coutume, ses tempes de fardoches balançant dans le vent, Loulou sut qu'il était rendu loin, trop loin pour revenir, à l'abri en tout cas du ministère de l'Environnement, du notaire, du curé... et de l'insécurité.

Loulou n'eut même pas une larme pour cet homme qu'elle avait pourtant beaucoup aimé, trop accoutumée qu'elle était à subir en silence, sachant trop bien que pleurer son rêve c'est le laisser mourir de sa belle mort...

Elle n'eut même pas de regrets quand, conseillée par ses enfants et l'avocat René

Poirier a.c., elle signa l'acte de vente du domaine du dernier des Marin en Gaspésie en faveur de la chic municipalité de Saint-Jules, pressée d'en faire au plus coupant le plus beau et le plus vaste des dépotoirs à ciel ouvert de la Baie-des-Chaleurs savamment érigé par Barbe à Marin... visionnaire inconnu... mort au champ d'honneur...

Elle eut plutôt un sourire de soulagement, large comme les gestes du Barbe en allé, quand elle s'engouffra, valises en mains à bord de la grosse Cadillac de l'année de son plus vieux, haut fonctionnaire de l'environnement à Québec, chez qui elle comptait bien finir ses jours en toute quiétude, occupée à courir les centres d'achats et la civilisation sous toutes ses formes et réformes...

Bête de cirque et homme à tout faire

On a dit que ce que les gens supportent le moins,
c'est d'être accusés de chanter faux.
Je crois que d'être soupçonné de manquer
de goût est plus pénible...
Sarraute

Ti-Ours à Louis Desmarais était un être à pelage coriace et à dents dures connu et reconnu à la grandeur du comté de Bonaventure. Haut su'pattes et fanfaron, il tenait son côté bravard d'un héritage reçu à la naissance d'un croisement de spermatozoïdes et de chromosomes démaillés à la pleine lune par son arrière-arrière-grand-père, Ti-Ours Desmarais, fort en gueule et bon à rien, dur de la bride et mou du mocassin...

Les Desmarais à grand' yeule et à yeux rouges comme on avait fini par les rebaptêmer, sourires aux coins des dents...

De plus, ce qualificatif des plus révélateurs était loin d'être surfait puisque l'on ne devient pas grande gueule, on naît «grand' yeule» sans autres scrupules et mérites que d'écoeurer le monde de dents creuses en dentiers slaques, de gencives molles en canines à deux ponts...

Ti-Ours n'avait donc pas de mérite à si
tant se faire aller le mâche-patates de tous
bords et tous côtés à propos de tout et
plus souvent... de rien... en roulant sa langue fourchue de tympans creux en marteau à tête plate digne de la sienne, de babines cassées en enclumes à dents creuses.

Ti-Ours était, n'en déplaise à d'aucuns,
de toutes oreilles et de toutes assemblées
publiques; d'ailleurs, à le voir ainsi parader, comment aurait-il pu en être autrement?

Puisque messieu', du haut de son cou
croche et de son orgueil généralisé était
partout à la fois, on le retrouvait comme
bâtonnier des Chevaliers de Cartier où il
avait vu à s'accaparer et la chèvre et le
chou; il était conseiller municipal et sous-
licheux de scrotum de messieu' le maire
depuis vingt-cinq ans; membre fondateur
de la Chambre de commerce, du Salon de
la morue et de la Cave aux aubaines; directeur du Musée maritime; sous-directeur de
la Société gaspésienne des arts et métiers,
de même que l'hôte des Jeunesses vocales,
en cavale lors de leurs tournées annuelles
en ce bout du monde du Québec si souvent
oublié des gouvernements, communément
appelé par les doutes de la ville: Floride
des pauvres, alias Gaspésie, alias Penouil,

alias fripouille fille de bonne chère et d'amounettage bienheureux.

Et comme si l'ensemble des fonctions
plus haut énumérées n'était déjà pas assez
imposant pour le grandir de quelques
pouces aux yeux de tous, messieu' trouvait
le temps, Dieu sait comment, d'enseigner
la musique à plein temps... sa passion, sa
jouissance, en plus de son orgasme divin,
diriger au doigt et à l'oeil une trentaine
de luettes et de pommes d'Adam, disciples
de la chorale L'Ouragan et pour finir, la
dernière et non la moindre de ses fonctions
au sein de la communauté du Ruisseau-à-
Patates, maître chantre attitré, gardien du
«Minuit chrétien» depuis plus de vingt ans
au petit village de Saint-Etchétéra-sur-Mer.

Il va sans dire qu'avec tant de vocations
tardives aussi bien que matinales, le brave
Émilien Bélanger n'avait pas eu le temps
de prendre femme, enfants et tout ce qui
vient avec; à vrai dire, il n'avait pas eu le
temps de rien se prendre du tout sinon...
sinon quelquefois le derrière entre deux assemblées, et de temps à autre, entre deux
mutations de voix choralienne, de grands
soupirs flûtés, une p'tite vite à queue croche
avec un soliste des Jeunesses vocales en
cavale qui aurait fait pâlir Genest... pas

157

Émile... l'autre... et Gide... pas Égide... j'ai dit Gide... Nuance... amours... délices et orgues... à tuyaux...

Parmi toutes ces besognes et ces divertissements, tous plus méritoires les uns que les autres, un le rendait tout particulièrement heureux... jouisseur... euphorique, tellement transporté qu'il en était des semaines sans dormir à la seule idée de larguer, du haut du jubé, encore cette année, son «Minuit chrétien» bien huilé de frissons et de repentirs à grandeur de nef, se prenant tout à coup pour Isaïe sur le mont éternel, tables de lois en mains et crotte au cul... ou encore pour Moïse à Saint-Jogues... circoncision en moins...

Une seule fois par année, une seule et unique fois, qui le lavait tout à coup de tant d'initiations de Chevaliers de Cartier, tant d'assemblées contradictoires et de fausses notes qu'il s'y serait laissé porter une année entière, n'eût été de ses nombreuses occupations... responsabilités qui le ramenaient toujours à l'ordre avant le temps.

Une fois par année, il lui était donné d'entamer des plus solennellement, sous un col dur offensant pour sa pomme d'Adam aux pépins violacés, ce fameux chant pieux, cette entrée de la langue, ce plat de résistance des cordes vocales, ce dessert de l'oreille, de l'ouïe et de tous ce qui des sens consent, pour un moment, à prendre son pied en coulant du long des reins comme langue affamée, ce chant si miséricordieux, ce divin chant réparateur, ce chant de bataille, d'alliance nouvelle et éternelle et de paix sur la terre aux hommes bien bottés... ce chant d'honneur... ce fameux, cet unique «Minuit chrétien», celui par qui arrive «l'heure solennelle où l'homme-Dieu descendit parmi nous, pour effacer la tache originelle»... vient nous laver de nos fautes passées, présentes et à venir...

Chant joyeux, chant divin, plaisir solitaire, baiser d'oreilles, mangeage de lobes, soufflage de tympans, manche de marteau, baiser d'enclume, trompe d'Eustache, crampes et moustaches, fossettes naviculaires, chaussettes caniculaires, étrier, volupté, limaçon califourchon, nerf cochléaire, les nerfs... calvaire, nerf facial et vestibulaire, laissez vos haleines de cheval au vestiaire, canaux semi-circulaires, panneaux et combinaisons d'hiver, enclume, nocturne et diurne, marteau, arrache-clou, membrane du tympan tordu comme un serpent de vingt-deuxième régiment mort au bout d'son sang, ouf...

Champs de fleurs, feuilles mortes, accouplements floraux, peuple à genoux, entends ta délivrance, répands ta semence, efface pis recommence, Noël, Noël, voici le rédempteur, Ti-Ours en personne, bête de cirque et homme à tout faire, maître à penser, grand génie capable de ne rien faire et de tout dire, de penser pour les autres, de dépenser pour lui-même, de prendre de la place, la sienne et celle des autres, de buffet en chorum, de feluettes en scrotum, de muscadet en farfadet, de rat de dump en donne du rhum à ton homme, de tarlais en tatet, en vieilles pompes à pompons ratatinés par le va-et-vient d'un poignet slaque et mal affilé...

Quel modeste portrait pour décrire un homme aux mille talents de la trempe de Ti-Ours, alias Émilien Bélanger, homme parfait, si bon garçon à l'abri de tout soupçon, homme à décorer de l'Ordre du Canada à la sauvette de Jeanne, médaille à bénir, savant à consacrer, petite marionnette étirée par les ficelles de la fausse modestie et de l'orgueil frelatés depuis trois générations...

L'orgueil de cet homme ne tenait qu'à un fil, ou plutôt, qu'à une oreille. Si certains êtres peuvent facilement se qualifier d'homme de coeur, Ti-Ours, lui, était ce qu'on peut appeler un homme d'oreille.

Il ne jurait que par l'oreille. De toute façon, comment aurait-il pu en être autrement? Pour être de toutes assemblées, il faut non seulement avoir la parole en bouche, mais encore faut-il avoir l'oreille en cartouche... prête à mitrailler le premier gagne-petit osant... offense suprême... contester l'ordre établi.

Et puis il y a toute la question des délateurs... il faut avoir l'oreille fine pour accueillir en son tympan les confidences d'un rat de cale prêt à se changer en souris de tasserie, moyennant quelques guilis capables de le mener à la direction d'un organisme nouveau, travaillant ainsi à jeter les bases de sa future statue quelque part entre le cimetière... et le centre d'achats.

Il faut être tout oreilles pour percer les secrets à venir qui font parfois toute la différence et qui donnent à l'assemblée réunie l'impression qu'on est génial, indispensable, savant et culotté, alors que son seul mérite est d'être écornifleux, gourmand et grand' langue, de bien belles qualités qu'un

161

comité de direction désireux de durer se doit d'avoir à son bord. Avec lui, la boucle était bouclée, on n'avait point à s'inquiéter, on savait ce qui se tramait dans le village et ce qui pourrait s'y tramer...

Ce que l'on ne savait point en réalité, c'est que Ti-Ours, ce poilu mal léché, avait un ennemi juré dans le village, un ennemi qui ne lui avait pourtant rien fait, un ennemi qui ne demandait qu'à servir...

Et cet ennemi n'était nul autre que le fou du village, un être sans défense, un coeur d'enfant incapable de la moindre malice ou de la plus infime méchanceté.

Alors pourquoi, avec si tant d'honneurs et de titres, de civisme et de supposées considérations pour le bien-être et l'évolution de la population, si tant haïr un être sans défense ne demandant qu'à servir?

Tout simplement parce que Marcel à Désiré, malgré tout le handicap dont il était affligé depuis sa naissance, c'est-à-dire qu'il avait l'intelligence d'un enfant de cinq ans dans un corps de géant, malgré cette erreur génétique relevant de sa conception, Marcel à Désiré avait un coeur d'ange, toujours prêt à aider, à servir, et en plus... insulte suprême, objet de haine sans bornes de la part de Ti-Ours le mielleux, le Pitt à Désiré avait une voix à casser tous les verres de la baie d'un simple «Ô Canada» mal placé.

Une voix de ténor pure et riche comme son coeur d'enfant demeuré. Une voix à faire fendre toutes les trompettes de Jéricho et les cornets à deux tuyaux. Une voix à rendre aphone le plus gueulard, à envoyer au front un déserteur, à défourrasser la reine, à constiper le dernier des chieux...

Voilà pourquoi Ti-Ours le caverneux le haïssait tant, jusqu'à en faire des cauchemars à cause justement de cette menace qu'il représentait pour lui.

C'est ainsi que, prétextant un manque de coordination, il avait réussi à le faire évincer de la chorale L'Ouragan dont il était, par hasard, directeur.

Marcel à Désiré, n'étant pas en mesure de comprendre les malices et les ruses de l'autorité choralienne, était rentré chez lui la tête tout simplement un peu plus basse que de coutume et l'affaire s'était éteinte avant de s'être véritablement allumée.

L'attardé à Désiré, sans en faire tout un boucan qu'il n'était pas en mesure d'expliquer, retourna ramasser des bouteilles dans les fossés et l'honorable Ti-Ours retrouva sa chaire...

Pour un temps...

Car, devant sa notoriété de plus en plus grandissante, le sieur oursin était de plus en plus en demande pour des congrès de ci, des initiations de cela, des parrainages par icitte, des chèvres à sauter là et patati et patata, devant pareil charisme, pareille intelligence à deux pattes, pas étonnant que Ti-Ours se soit fait offrir, par la municipalité régionale de comté, en bon conseiller toujours du dire du maire depuis vingt-cinq ans passés, d'aller représenter son cher village de Saint-Etchétéra-sur-Mer... en France, pensez-y donc si son coeur a fait trois p'tits bonds!

C'est ben simple, il devint fou comme d'la marde, il ne portait plus à terre tant son ego était récompensé, vengé de mille séances de conseil toutes plus plates les unes que les autres, passées à entretenir une image de plus en plus jaunissante et démodée.

Il va sans dire qu'en bon téteux gradué et reconnu comme tel, il ne se fit pas prier longtemps. Derechef il accepta, non sans un petit pincement au coeur cependant...

Comment la paroisse pourrait-elle se passer de son Minuit chrétienteux... Car pour mal faire, le voyage de Ti-Ours tombait pendant les fêtes de Noël, au moment de son congé d'enseignant. Il se ressaisit cependant en pensant qu'il pourrait peut-être le chanter dans la paroisse de Saint-Servan en Bretagne, où il serait reçu en grande pompe avec les honneurs dus à un chef d'État... si etchétérien-sur-mer fût-il...

Et Ti-Ours s'embarqua sur le petit avion aux ailes rapiécées de broche de la Québecair pour Gaspé... Sept-Îles... Mont-Joli, Baie-Comeau, Québec... et Montréal avant de se diriger au comptoir d'Air France où il put monter à bord d'un avion comme il n'en avait jamais vu chez lui...

Et Ti-Ours se cala sur son siège, rêvant de Moulin-Rouge, de rue Saint-Denis, de Faubourg Saint-Honoré, de Champs-Élysées, du célèbre Opéra de Paris, de Paillasse et... du Barbier de Séville qui présentait sa nouvelle mode à ce même vieil et si respecté Opéra de Paris où il entendait bien se rendre en débarquant de l'avion pour se procurer un billet quelque en soit le prix.

Il fit comme il avait dit, avant de pousser sa quête d'exotisme musical jusqu'à la FNAC, ce fameux magasin à rayons reconnu à Saint-Germain-des-Prés comme étant La Mecque des magasins de disques... où il avait l'intention d'acheter, non pas une,

mais deux copies du célèbre Barbier de
Séville, son maître à penser, son supposi-
toire vocal, son parfum d'oreilles, son
baume à l'enclume si riche de résonance...

Puis, direction gare Montparnasse où,
billet en main, messieu' s'embarque pour
la Bretagne, pays des chapeaux ronds et
des doubles mentons...

À son arrivée, Ti-Ours est pris en otage
par monsieur le maire, le préfet, monsieur
le proviseur, monsieur le maître-de-chorale...
le maître de qui, que, quoi, dont, où,
demande et redemande le Canadien errant
banni de son jubé?

Et entre deux verres de ci, deux fromages de ça, Ti-Ours se familiarise avec
monsieur le directeur... question de se
faire une petite place au soleil de «Minuit
chrétien».

En prenant bien soin d'amener la chose
sur le bout de ses doigts graisseux, Ti-
Ours laisse entrevoir sa longue expérience
comme maître chantre, se faisant passer
pour l'un des plus en vue au Canada... a
beau mentir qui vient de loin... et pourquoi
s'en passer, après tout la cause est des
plus nobles...

C'est donc avec joie que messieu' le
directeur accueille le talent d'une si grande

vedette dans le jubé de la petite église de Saint-Servan.

Ti-Ours en est tellement excité qu'il annule tous ses autres rendez-vous, ses rencontres avec la presse, son diplôme honorifique «Honoris Causa», les armoiries du village, la cruche de sirop d'érable et le vingt-six onces d'huile de foie de morue, don de la municipalité de Saint-Etchétéra, organisatrice du voyage...

Ti-Ours en oublie tout... même sa pire hantise qui n'a jamais été décelée à Saint-Etchétéra à cause d'une bande d'ignares qui ne démêlent pas le do à ré-mi du sol à la-si, bref, que Ti-Ours est un faussaire de la pire espèce, un gibier de potence, un menteur de naissance, autrement dit, l'ourson en question est un rabat-joie, un pousseux de larmes et pis encore, Ti-Ours, honte suprême, tenez-vous bien, Ti-Ours chante faux... Mea culpa, mea maxima culpa, à coule-t-y ou à coule pas...

Comme l'honneur de son village est en jeu, de sa province, de son pays, l'ambassadeur etchétérien s'enfile deux bons suppositoires-à-voix dans l'anus déi une heure avant d'affronter la crèche de papier crêpé et ses faces de carême faisant office de Rois mages encensés de myrrhe et d'or noir.

Après une belle messe comme il en a rarement vu, Ti-Ours se raidit, se contorsionne, serre les fesses en poussant sur ce qu'il reste des suppositoires à moitié fondus et sur la note de départ du «Minuit chrétien» tant attendu par messieu' le directeur et son choeur...

Ti-Ours entame ce qu'il est convenu de nommer ici un des plus beaux chants de la tradition de Noël dans des ratés et des essoufflements qui laissent carrément entrevoir que le vieux piano mécanique n'est pas au bout de son rouleau... à la grande stupéfaction de l'orgue à tuyaux vieux de quatre siècles au moins qui en pleure déjà, incapable d'ajuster sa précision à la voix d'un faussaire ayant traversé les hémisphères pour cracher dans le bénitier des traditions au nom d'une municipalité régionale de comté même pas foutue de se rendre compte que son plus beau licheux-d'cul fausse... et la municipalité et la note... et l'assemblée réunie, et la chanson et la compagnie, sainte orgie...

Trop c'est trop et le petit peu du trop est ici bien mince, le seuil de tolérance est pourri et ne semble pas vouloir résister bien longtemps à ce genre d'affront.

Messieu' le directeur, suivi de ses brebis récalcitrantes, soulève l'impromptu par les coudes et le dépose sur le perron... question de lui laisser reprendre son souffle et son avion un peu plus tôt que prévu... you know?

Comme de fait, dès le lendemain, on conduit Ti-Ours à la gare du village, sans trop de politesses et d'on-se-reverra...

Et dire qu'au village, pris de court, on a dû recourir aux services de Marcel à Désiré, ce fou de village de qui on rit depuis toujours... et quoi... miracle... Marcel s'est fait généreux, tendre et bon et, contrairement à Ti-Ours qui n'avait de frissons que pour son père et sa mère, 'Cel à Désiré, lui, a fait frissonner tous les paroissiens qui, à partir de ce jour ne pourront, n'oseront plus le regarder du même oeil, tellement que les marguilliers réunis en assemblée spéciale en plein jour de Noël décident de le nommer nouveau directeur de la chorale, ayant pu comparer la différence de caisse de résonance entre Marcel et Ti-Ours qui, vraisemblablement, ne nagent pas dans les mêmes eaux...

À son arrivée au village, Ti-Ours ne trouva personne pour le porter en triomphe comme il aurait été en droit de s'attendre...

Un télégramme fort éloquent en provenance de Saint-Servan l'avait devancé, de même qu'une lettre enregistrée dans laquelle

169

on lui faisait part de la nomination d'un nouveau directeur de chorale.

L'arrogance faite homme ne put jamais accepter d'essuyer pareil échec.

Et le plus dur à prendre pour son orgueil c'était de se voir remplacer par un fou de village, un ramasseux de bouteilles, une souris de tasserie, un mulot à gros moineau comme il avait été dit...

Quelle déconfiture pour un homme de son rang... professeur, pro-maire, pro-vie, adjoint, sous-ci, sous-ça, membre, membrane, associé, directeur, etc...

Ti-Ours ne put jamais s'en remettre. L'on dit que bien des maladies naissent psychologiquement, du moins dans son cas on l'a dit et tout contribue à le faire croire...

Peu après cette débarque décalissante, Ti-Ours commença à se plaindre de maux de gorge... si bien que d'examen en examen, on diagnostiqua un cancer des cordes vocales doublé d'une semi-paralysie de la langue... quelle épreuve pour un homme dont la langue et les cordes vocales sont les principaux outils de travail!

On dut l'hospitaliser, l'opérer, le chimiothérapiser, il fondait à vue d'oeil, il en perdit même tous ses cheveux à son grand désarroi. Profitant d'une période de rémission pour le moins généreuse, Ti-Ours réintégra sa demeure, son musée comme il l'avait baptisé lui-même, d'où il commença à donner démission par-dessus démission, se libérant ainsi de pouvoirs chèrement engrossés au cours des années.

Il ne sortait plus, sinon pour aller faire brûler un lampion entre deux pratiques de chorale sous la direction de Marcel à Désiré qui continuait, de son côté, à accomplir miracle par-dessus miracle.

Le reste du temps, surtout par les soirs de lune, les plus curieux se cachaient pour le guetter à sa fenêtre où, chauve et amaigri, à la faveur d'un phono ouvert à pleine puissance crachant ses restes de puissance, il mimait... «Le Barbier de Séville» avec une exaltation qui n'avait d'égale que la montée du «Minuit chrétien» où il est dit de: «repousser le courroux»...

Malgré la meilleure volonté du monde, on ne repousse pas impunément le dit gourou.

Ti-Ours mourut après un long calvaire qui dura bien neuf mois, au matin du vingt-quatre décembre suivant son voyage à Saint-Servan et l'on dit que cette nuit-là, le «Minuit chrétien» enflamma l'église comme il n'est pas permis de le dire, porté par le coeur et la voix d'un fou de village étincelant de l'âme, aux yeux pétillants d'étoiles... de don de soi et de générosité, particulièrement dans la strophe clamant: «*Le rédempteur a brisé toute entrave, la terre est libre et le ciel est ouvert. Il voit un frère ou n'était qu'un esclave, l'amour unit ce qu'enchaînait le fer. Qui lui dira notre reconnaissance, c'est pour nous tous qu'il naît, qu'il souffre et meurt*»...

Bière d'épinette et pieds d'athlète

Quelle impiété ce serait de préférer
l'existence à l'honneur et pour sauver sa vie
de perdre les raisons de vivre...
Juvénal

Depuis qu'il avait huit ans, le petit Kelvin Carson rêvait de devenir un de ces grands acteurs comme ceux dont il avait vaguement entendu dire qu'ils faisaient la vie à Hollywood et sur toutes les grandes scènes des États-Unis.

Il se voyait déjà, du haut de ses quatre pommes, en grande vedette, danser la claquette de ses pieds d'athlète tel un Fred Astaire au comble du chauffage de la plante et du talon.

Il se voyait en Charlie Chaplin quand, profitant de l'absence de ses parents, il montait deux par deux les marches le menant au grenier, ce vieux grenier converti en loge, son Carnegie Hall à lui, où l'attendait tout l'attirail nécessaire à l'exercice de ses fonctions, à partir du vieux parapluie à la Charlot en passant par les souliers ferrés de la claquette légitime en allant jusqu'aux soieries guenillonnes dont tout artiste digne de ce nom aime s'entourer le cou en tournoyant dans une gestuelle savamment étudiée devant un grand miroir écaillé qui ne lui renvoyait que le quart du tiers de son expression et de la luminosité, de la magie qu'il se sentait capable de déployer en temps opportun sur les grandes scènes du monde, disséminées ici et là au hasard des baisemains, des ovations à n'en plus finir et des interminables séances d'autographes auxquelles il tentait bien innocemment de suppléer en s'exerçant, jour après jour, à signer de sa main du dimanche en une calligraphie des plus personnelles et chantantes son nom, en lettres rondes d'espoir, affilées de rêves, une écriture bien trop parfaite pour son âge, qui remplissait les pages du vieux catalogue Sears and Roebuck comme ceci: *I love you dear, thanks for your presence, coming soon, Affect'ly yours, Kel.*

Après avoir pratiqué un nouveau rôle qu'il découvrait de jour en jour grâce à son imagination débordante d'enfant très éveillé pour son âge, Kelvin redescendait de son tréteau de grenier pour souper en face de son père qui, flairant en cet enfant quelque chose de différent des autres, était loin de ne pas s'en inquiéter.

Surtout pour un homme de principe de la trempe de Ben Carson, petit-fils d'Irlandais de Dublin émigrés au Canada de peine et de misère, de quarantaine en grippe espagnole, échoué à la vie à la mort, ayant trouvé après toutes ces tribulations un petit paradis où finir ses jours en toute quiétude.

Un petit paradis perdu au bout du monde, aux confins de la Baie-des-Chaleurs, une petite île habitée par une cinquantaine de familles à peine, toutes irlandaises de noble souche comme la sienne.

L'Île-aux-Hérons, ce fragment d'insularité perdu entre Acadie et Gaspésie qu'on n'a pas cru bon d'inscrire sur les cartes du temps à cause de son peu de trésors à piller et de ces fameux Irlandais que l'on croyait atteints des pires virus.

C'est là que la famille de John Carson était débarquée un beau matin, d'un rafiot puant la mort et la sueur, et qu'elle avait réussi à s'accrocher, grâce à la morue du jour, aux fruits sauvages et aux infimes parcelles de terre qui n'étaient, somme toute, pas si revêches qu'elles voulaient bien le laisser croire.

Et les racines avaient commencé à se frayer un chemin à même la mer et la terre de ce Nouveau Monde où ne régnait ni

guerre, ni désordre, où la peste et les épi-
démies n'avaient pas encore cru bon de
venir jeter l'ancre.

À travers les saisons, les ans et le large,
les enfants étaient venus jeter du tiède en
ces âmes déportées et parmi eux le plus
vieux, Ben, qui à son tour deviendrait le
père de Kelvin, ce drôle de mousse qui rêvait en couleur.

Ce n'était pas vraiment là le genre
de vie qu'il entrevoyait pour cette paire de
bras qui serait drôlement utile, voire indispensable pour gosser la morue, ramer,
accoster, bref pour saler sa vie comme lui
et son père avant lui, au métier de pêcheur.

Ce métier qu'il disait noble et beau, ce
métier de gerçures et de libertés, d'appartenances à l'horizon et aux nuages, au jour
aussi quand le soleil est à hauteur d'homme
et en profite pour se faire généreux comme
pas un.

Et voilà que ce garnement, depuis le
jour où il avait vu, par le plus grand des
hasards dans la petite salle de la «Com-
munity Hall» profitant de la visite d'une
troupe d'amateurs, un drame en trois actes
où les larmes et les pleurs avaient pro-
voqué plusieurs fois des applaudissements
soutenus, en rêvait jour et nuit, s'en faisait

un jeu, un métier, une carrière au point que ça en devenait inquiétant.

En bon père de famille, Bob Carson décida le jour des dix ans du petit Kelvin que le temps était venu pour lui de briser un rêve n'appartenant qu'aux chimères, un rêve hors de portée, dépravant et humiliant pour la famille en son entier.

Ce jour-là, le gamin n'alla point à l'école rêver du grand rôle de sa carrière; il enfila plutôt les manigots pour giguer sa vie au bordé d'une vieille barge qui se chargerait bien de lui changer les idées contre vents et marées.

Pendant cinq ans, jour après jour, l'enfant devenu un homme larguait pour le large à bord d'un flat en compagnie de son père, en quête de la survivance du jour et des provisions de salé-séché des saisons mortes.

Il paraissait parfaitement heureux, riait, chantait, se permettait même quelques imitations des plus raffinées à la face des autres pêcheurs qui l'aimaient beaucoup pour son côté bon vivant qu'il ne tenait assurément pas de son père.

Ce côté comédien lui permettant de vivre malgré tout, de rire malgré cette vie imposée qu'il savait trop bien ne pas être sienne, qu'il voyait fondre de jour en jour à mesure que l'âge lui faisait pousser des ailes capables de supporter son ambition première de partir à la découverte du monde sur les scènes les plus prestigieuses en quête de l'amour d'un public conquis d'avance que jamais ni son père, ni sa famille, ni cette île sauvage, pas même le grand large avec tout ce qu'il a de généreux et de bon vivant ne pourrait lui donner, dût-il vivre cent ans.

Néanmoins, il s'était si bellement acquitté de ses nouvelles tâches des dernières années que son père pensait qu'il avait bel et bien enterré son rêve de grenier au fond du puits des enfances pour ne plus jamais l'en ressortir.

C'était bien mal connaître ce fils qui était pourtant construit sur le même gabarit que son entêté de père pour qui il n'y avait rien de saugrenu, juste des choses réalisables... à condition que ça entre dans son champ de vision... ce qui n'était hélas pas le cas du plan de carrière de son fils Kelvin.

Kelvin, en grand acteur, avait tellement bien joué son jeu, que loin d'éveiller les soupçons d'une partance prochaine il parlait maintenant de fiançailles avec cette

Brenda Cadwell aux beaux cheveux roux et aux yeux entisonnés de braises fumantes.

Ce qui rendait son père des plus heureux et confiant. Il trouva parfaitement naturel que son fils réclame maintenant son dû au retour des pêches, question de pouvoir se payer des fiançailles et faire la noce avant longtemps.

C'est quelques jours avant les fiançailles que Kelvin, argent en poche, quitta l'île en direction de Cap-Pelée et de là, vers Campbelton où il comptait bien acheter la plus belle des bagues de fiançailles jamais entrevues à l'île.

Comme prévu, il gagna Campbelton à pied avant de s'embarquer à bord d'une goélette en direction de Montréal, bague de fiançailles en moins...

C'est là qu'il passa son hiver, à l'emploi d'un juif qui donnait dans la guenille et qui lui apprit qu'un dollar en valait deux, dépendamment de la poche dans laquelle on le plongeait.

Il ne mit pas de temps à comprendre. Au printemps, petit pécule en poche, Kelvin s'embarqua pour New York la tête trouée de rêves, comme une meule de gruyère de première qualité.

C'est en flânant dans Broadway, chapeau melon sur la tête, vêtu de tweed de pied en cap, que Kelvin, sans trop de difficultés à cause de son anglais des plus respectables hérité de ses ancêtres Irlandais et de sa prestance de jeune premier en faisant un gagnant à coup sûr, réussit à se décrocher un petit rôle dans une revue de moeurs minable à l'affiche: *Off Broadway.*

Ce n'était pas le rôle des rôles mais Kelvin qui savait ce qu'était d'attendre continua de se croiser les doigts en rêvant de grandes scènes et de tournées à travers l'Amérique.

Pendant plusieurs années il erra de petits théâtres en vieux hangars, à la recherche du rôle qui le propulserait à l'affiche de toute l'Amérique, mais en vain...

Pendant les nombreuses périodes creuses qui meublèrent une bonne partie de ces années, il arrivait à Kelvin, en déambulant devant une vitrine de poissonniers, de ressentir de fortes effluves marines qui n'étaient pas sans le ramener sur son île natale que l'exil, malgré la meilleure volonté du monde, n'avait pu effacer complètement de sa mémoire.

Quelquefois, les jours de grand découragement surtout, il lui arrivait de penser à retourner chez lui, en cette île du bout du monde, mais il savait trop bien que son père l'avait banni à tout jamais, indigné qu'il était de le voir s'adonner à un métier où la dépravation est monnaie courante, lui interdisant même dans une lettre reçue peu après son arrivée à New York, de remettre les pieds à l'Île-aux-Hérons de son vivant... faute de quoi... Et connaissant la grande malice de son père, il n'osait même pas entrevoir d'aller contre cette décision.

Il serait condamné à errer toute sa vie désormais pour avoir épousé un rêve plutôt qu'une belle Irlandaise comme l'aurait voulu son père.

C'est en jonglant à ce passé rebelle allongé sur un banc de Central Park qu'un tourneur de province le remarqua dans toute la beauté de ses vingt ans.

Il le reconnut pour l'avoir souvent vu déambuler sur Broadway, il aurait même pu jurer lui avoir fait passer une audition à ses débuts. Lui remettant sa carte, il l'invita à se présenter à son théâtre de la Cinquième avenue pour audition et contrat si le tout se présentait dans le bons sens...

Le sens de l'honneur... propre à ce cher Kelvin, le sens de l'honneur, ce don particulier, permettant de gravir les plus hauts sommets, de grimper deux par deux aux barreaux de l'échelle menant tout droit à la gloire...

Derechef, le jeune acteur se présenta au rendez-vous où un metteur en scène bougonneux et pressé de retourner à la taverne l'engagea sur-le-champ, lui faisant pour ce faire signer une feuille de papier bouchonnée qu'il rangea à la valdrague dans un tiroir avant de l'éconduire, prétextant une livraison de décors dans la minute.

Une semaine plus tard, après quelques répétitions et bien des nuits blanches, Kelvin s'embarquait à bord d'un vieil autobus en compagnie de la troupe pour sa première grande tournée américaine, «en vedette» dans une pièce d'un auteur inconnu où il apparaissait deux fois comme portier... muet...

Ce n'était pas encore l'apothéose à laquelle il se destinait depuis sa prime enfance... Néanmoins, de fil en aiguille, Kelvin tourna plusieurs années avec cette troupe, quadrillant ainsi les États-Unis en sa grandeur, de Cape Cod à la Nouvelle-Orléans, en passant par Chicago et Las Vegas.

C'est au cours d'une prestation à Chicago qu'un producteur de films d'Hollywood, de passage, le remarqua et s'empressa de lui faire signer, séance tenante, un contrat de cinq films avec la Warner Bros à Foin Cie.

C'est comme cela que le petit Irlandais de l'Île-aux-Hérons devint, du jour au lendemain, une grande vedette, reconnue à la grandeur des States et même du Canada et de l'Europe.

Pourtant Kelvin s'ennuyait du contact direct avec les gens que permet le théâtre, cette symbiose, ce transvasement permettant une alchimie de tout premier ordre, si bien qu'une fois son contrat terminé, il plia bagage pour rentrer à New York avant de repartir, son nom en rouge sur les affiches, parcourir l'Amérique avec une troupe de théâtre de première importance.

C'est au sortir d'une scène de petite salle de province que l'acteur désormais célèbre rencontra une cartomancienne désirant lui faire don de son savoir en échange d'un autographe et d'un baiser prolongé... you know?

Après une nuit des plus mouvementées où les souffleurs étaient absents, la belle tireuse de cartes de descendance tzigane prédit à la vedette de passage qu'il mourrait sur une île perdue quelque part dans l'Atlantique Nord au faîte de sa gloire... et qu'il ne connaîtrait pas le repos tant qu'il ne retournerait pas au pays natal pour se réconcilier avec son passé.

Pendant des années, l'acteur le plus célèbre des États-Unis au siècle dernier, continua de jouer et de tourner avec le plus grand des bonheurs puisque c'était là toute sa vie.

Il ne pouvait cependant pas s'empêcher de penser, pendant les longues heures de route le menant d'une ville à l'autre, à l'étrange révélation de la romanichelle; il avait aussi beaucoup de mal à garder pour lui une pareille prédiction si bien que, tour à tour, tous les membres de la troupe en vinrent à connaître le secret de Kelvin qui faisait tant jaser et qui, en fait, n'avait de secret que le mot...

Le temps passait, les tournées s'allongeaient et l'acteur américain numéro un, malgré son âge des plus respectables, continuait de faire crouler l'Amérique soir après soir avec une frivolité et une bonne humeur ne manquant pas de faire rougir bien des petits nouveaux qui, malgré leurs vingt ans, ne lui arrivaient pas à la cheville, ni par la présence, ni par l'endurance qu'il déployait en scène en s'accordant toujours les rôles difficiles, ingrats mais aussi gratifiants, flatteurs d'ego et de jeunesse éternelle.

C'est au cours d'une présentation que Kelvin Carson rendit l'âme dans le rôle de Hamlet, dans la petite ville de Galveston, un port du Texas sur le golfe du Mexique, foudroyé par une attaque cardiaque sans pardon.

Comme le dit le dicton: «The show must go on...», la troupe continua sa tournée grâce à un remplaçant parachuté de New York le lendemain, cependant que l'on enterra le célèbre acteur dans le cimetière de ce petit village de Galveston sans autre cérémonie que celle de lui assurer une sépulture décente, une bière d'épinette de la plus belle qualité sur laquelle on avait fait graver son nom en lettres d'or, et planter sur sa fosse un sapin, à sa demande testamentaire, par amour pour la petite île de sa naissance, abandonnée longtemps auparavant où ceux-ci abondaient.

Les grands quotidiens en firent la une, on vint du bout du monde pour photographier le petit sapin baumier faisant office de pierre tombale, petit arbuste prenant racine partout comme en son île d'où Kelvin avait été banni à jamais par son père. Sa plus grand peine avait été de ne pouvoir y retourner, malgré toutes les gloires du monde, et cette hantise du pays natal l'avait miné jusqu'en ses tréfonds... jusqu'en la mort... et bien après...

Du moins si on examine de plus près la suite des événements.

Deux ans plus tard, un effroyable ouragan dévasta toute la côte américaine et noya le cimetière défoncé par la tornade en furie. Comme à peu près tous les cercueils qui s'y trouvaient, celui de Kelvin Carson fut emporté par les flots déchaînés vers une destination inconnue.

Sitôt le calme revenu, des employés municipaux se dépêchèrent de niveler le terrain afin que rien ne paraisse de la fureur du cyclone sans précédent recensé.

Pourtant Kelvin n'avait pas fait sa dernière sortie puisque c'est en lever de rideau qu'il refit son ultime apparition en 1928, plus de huit ans et un mois après le terrible ouragan...

Des pêcheurs ébahis repérèrent ce jour-là, au large de l'Île-aux-Hérons, une grande caisse recouverte de goémon, de varech, d'algues marines et sur laquelle s'étaient greffés quelques mollusques. Ils se dépêchèrent de la hisser à bord, croyant avoir enfin mis la main sur le célèbre trésor du capitaine Cook, bien qu'il n'en fût rien...

Une fois accostés, ils tirèrent la boîte de bois des plus pesantes du fait que le bois – à n'en point douter de l'épinette – était imbibé de bord en bord. À la hâte, on se dépêcha de la nettoyer des algues la recouvrant pour enfin découvrir, avec stupéfaction, qu'un nom se trouvait inscrit sur ce qui ressemblait de plus en plus à un cercueil...

Un nom... bien connu à l'Île-aux-Hérons, celui de Kelvin Carson.

Question de conjurer le sort, on fit sauter le couvercle de la bière pour se rendre compte que la dépouille se trouvait bien là, et que la tombe avait dû, pour revenir ici, parcourir plus de trois mille milles, ce qui tenait du mystère ou, pis encore, de la sorcellerie...

Au suffrage universel, on vota d'enterrer la dépouille du déserteur près de l'église où, quatre-vingt-dix-sept ans auparavant, le plus grand acteur de tous les temps à avoir vu le jour en Gaspésie était né.

La prédiction de la cartomancienne avait finalement eu raison du sort, se réalisant envers et contre tous.

Encore une fois Kelvin Carson, dix ans après sa mort, prouva que son entêtement et sa soif d'idéal l'avaient mené à bon port... Malheureusement pour lui, son père était décédé depuis longtemps, trop longtemps en tout cas pour constater que, contre le destin on ne peut rien... surtout à la tombée du rideau...

Comme quoi le sens de l'honneur paie d'office...

Les douze sens d'Agnès

Prendre sens sans l'insensé
Éluard

Depuis le jour de sa naissance, Agnès Barthelotte avait été une source d'étonnement autant pour sa famille que pour le voisinage et messieu' le docteur, qui avouait se trouver là en présence d'un cas pour le moins spécial.

Bien que normalement conçue, l'enfant avait le regard trouble des lacs sans fond, le sourire élastique des marionnettes géantes et la gargouille d'une enfant qui n'en est pas à sa première vie. Une enfant qui aurait pu inspirer plusieurs voyages sur la réincarnation à autant d'auteurs en mal de livres à sensation...

Un petit pet curieux et attachant qui ne cessait, au fur et à mesure que le temps lui donnait des ailes, d'épater la galerie et le perron composés du voisinage, des passants, des curieux et de tout le tralala pressé d'en rire à la face de Ti-Mine Barthelotte,

193

sa femme et sa tribu de petits Mine qui ne semblait pas vouloir avoir de fin avant encore bien des lunes pleines ou consentantes, cornailleuses ou échauffantes...

Si l'enfant, somme toute, paraissait pour le moins normal physiquement, c'est du côté de l'entendement, de la pensée et de l'agissement que le fruit avait l'air de vouloir se gâter, de la pelure aux pépins en passant par le goût et le moyen...

Ce qui faisait dire aux langues les plus sales que l'enfant était possédée du démon...

Elle qui était pourtant belle comme une fée Carabosse en mal de carrosse, une fée de livre de contes, ceux-là même dont l'histoire se termine toujours en insistant sur le fait qu'ils vécurent heureux et eurent beaucoup d'enfants... une fée sortie tout droit d'une légende, emportant avec elle le mystère et la peur, la misère et la douleur, revêtue tour à tour de superstitions, de voyance et de folies.

Une enfant qui semblait avoir du bagage pour trois éternités en provenance de la cuisse de Jupiter, du talon d'Achille et de la lampe d'Aladin finement astiquée, de Ti-Mine Barthelotte et de sa Bella sans regrets ni capote, sans après ni picote...

C'est néanmoins en prenant de l'âge, du pic et des rondeurs au fessier et à la croupe d'abord, au buste... et au cerveau par la suite... que les choses commencèrent à vouloir se gâter pour de bon.

Avec le temps, Agnès devenait carrément insupportable pour sa famille ulcérée qui ne savait quoi en faire, de même que pour ses petites amies qui la craignaient de plus en plus depuis le jour où un vocabulaire pour le moins savant et confus s'était emparé de sa langue d'enfant de Marie, langage pour le moins curieux, venu on ne sait d'où et qui encore aujourd'hui, malgré deux thèses et trois prothèses, quatre ouvrages et plusieurs bons d'emploi de l'assurance-chômage, ne figure en aucun traité de patois ayant racine en Gaspésie...

Agnès la mystérieuse se vantant d'être la proie des sens... de l'essence de vanille comme disaient les moqueurs.

Chose pour le moins peu courante en ces temps de bottines de feutre, de corsets à baleines, de paillasses molles, d'enfants à la treizaine, de mouches de moutarde et de neuvaines que de voir un petit être jusque-là sans malice devenir complètement obnubilé par l'ensemble des sens l'habitant.

Habitée au point d'ouvrir à tout moment et sans aucune considération portes et fenêtres à pleine grandeur, prétextant le fait que de mauvaises et terribles odeurs l'accaparaient de verte façon et qu'elle se devait, pour le salut de son âme et son hygiène corporelle, de purifier l'atmosphère, de faire éventer ce grand nez par lequel tout péché prenait naissance et racine et plaisir...

Et comme elle prétendait qu'il fallait toujours avoir «le filtreur à senteurs» en odeur de sainteté, par des parfums d'aurores marinées à l'eau de source du mont éternel, c'était de plus en plus fréquemment que les ouvertures, hiver comme été, se balançaient, sorties de leurs gonds, pour la purification de la place par la petite garce.

Ça commençait à devenir drôlement inquiétant tant pour la maisonnée grelottante que pour le petit génie qui avait de plus en plus de mal à respirer à belles narines l'air désiré, à mesure que le temps mêlé à l'odeur de couches gratinées et de bas sales envahissait la place entre deux ménages farcis de bouquets d'ail, de pet de foire, de camphre enscapulairé et d'huile de foie de morue sanctifiée jusqu'à en imprégner les murs, les garde-robes, les fonds d'armoires, les haleines de brebis et les dessous de bras entre un ave et deux mea culpa.

Ti-Mine et Bella savaient qu'ils ne pourraient pas tenir bien longtemps encore avant de faire la crise des crises qu'ils regretteraient amèrement avant longtemps.

Leurs mains et leur patience avaient déjà trop servi pour ce qu'elles avaient rapporté, depuis des années que la folle leur empoisonnait l'existence à tort et à travers, emportant à chaque fois de grandes effilochures à dos de lampions sourds du suif et de la mèche, de raison, de déraison, d'obsession, d'humiliation et de tant de questions laissées sans réponse qu'il faudrait bientôt agir sous peine d'y rester, si le petit jeu ne prenait pas fin dans un avenir rapproché.

Et comme si ces petites manies n'étaient pas déjà assez gourmandes et exubérantes, Agnès, par ses oreilles finement développées entendait à tout bout de champ des injures, des blasphèmes, des jurons venus de sa seule imagination, des... calvaires emmaillés, des maudites hosties pourrites, des fifis d'tôle, des brayonnures maudites, des bordels-à-bras, des ciboires poqués, des calices rouillés, des chasubles parcées et tout un chapelet de sainte chibagne qui la mettait

mettait dans un état tel... qui la mettait tout simplement «cinq cents» connaissance...

Et qui la forçait... à s'emparer de la première chose qu'elle pouvait se mettre sous la main pour la lancer de toutes ses forces à bout de bras au plus pressant. Pas très sécuritaire lorsque «ces voix venues du ciel» choisissaient le moment, pour s'adresser à elle, où elle épluchait des patates, fendait du bois ou allumait un fanal... il fallait avoir la langue douce en confessionnal à deux sièges, en ces instants, pour ramener l'enfant à la raison, en la désarmant d'abord et en la giflant de toutes ses dents ensuite, de façon à lui faire comprendre «le bon sens» qui n'a rien de douzième, le seul capable de laver l'ignominie, le blasphème et l'insulte suprême dont elle devenait de plus en plus souvent l'objet.

Là où la sauce sembla vraiment vouloir se gâter, à ce stade du développement d'Agnès-du-Très-Haut-Savoir, c'est le jour où elle descendit à la cave, transfigurée pour en monter quelques instants après avec en main une caisse de pots servant au «canissage» communément appelé «pot Mason».

Jusque-là rien de bien extraordinaire comme performance sauf que... dans une faconde aussi généreuse qu'irrévérencieuse, Agnès Barthelotte, en parfaite savante digne d'un pareil titre, annonça à sa famille attablée autour du hareng salé et des patates avec la p'lure que l'heure était venue de passer à l'expertise... et que pour ce faire, à partir de ce jour, madame embouteillerait ses urines, question de poursuivre plus avant, du moins à son dire, des études on ne peut plus poussées sur l'hérédité visant à découvrir la provenance de ces fameux douze sens dont elle était, par l'entremise de son Mine de père, l'heureuse descendante.

Ce fut, «la goutte qui fit déborder le vase...»

Sans perdre une minute, Bella s'en fut au pas de course avertir son Mine occupé à saigner une taure cornailleuse qui s'amena à l'instant, couteau de boucherie en main, pour constater de visou que la folle avait «follé» d'une coche encore... une coche qui commençait à raidir la chaîne de la limite de l'acceptation d'un Mine rougi à point lançant en direction de sa plus vieille: «Maudit tabarnac de bâtard à deux sièges circoncis su'l'travers... As-tu envie d'faire une bouille, d'la manière qu't'es partie là?»

Agnès, sentant la soupe chaude et le pot à ras bord, remonte à la hâte ses petites culottes brodées à la main sur son pipi d'amour avant de prendre soin de fermer bien hermétiquement le pot ayant reçu son trop-plein d'hérédité et de se mettre en frais de l'agiter des yeux et du poignet, interrogeant au même instant les bulles se formant aux parois du récipient jauni par la soif de savoir de l'alchimiste incomprise...

«Fais sa valise pis habille-la, c'est aujourd'hui qu'à décalisse, chu pu capab' d'la voir, d'la sentir, de l'entendre respirer, la chrisse de folle... si j'avais su c'te soirée-là... c'est les couvartes qu'auraient pris l'tas... crains pas...» Ti-Mine se passa les mains sous la pompe avant de se glisser au volant du vieux Fargo, rejoint par son Agnès tout heureuse de faire un tour de «toto» et de Bella qui, larme à l'oeil, savait que c'était son dernier voyage en sa compagnie...

Mine embraya le vieux camion en s'allumant une «pollock», la narine frémissante et le menton tremblotant. Il ne dit mot du voyage, regardant loin devant lui... le plus loin possible... question de mettre le plus de distance possible entre lui et cette fille qu'il avait désirée par-dessus tout, qu'il avait aimée malgré tout, qu'il avait si souvent bercée, priant pour exorciser ce drôle de mal ne faisant que gagner du terrain de jour en jour, comme chiendent livré à lui-même...

Cette enfant que, malgré tout son silence et sa rudesse, il avait aimée tout autant, sinon plus que les autres, étant la première... qu'il avait chérie et qu'aujourd'hui il fallait mener à la mort... de l'esprit, cent fois plus cruelle que la mort tout court, que le temps cicatrise petit à petit.

À son arrivée à l'hôpital, Agnès, découvrant tout à coup un nouveau lieu, fit une crise olfactive qui secoua les murs de l'hôpital de Maria, ce qui permit au docteur Alain de conclure qu'un tel cas, aussi jeune que beau, relevait hélas du sanatorium de Mont-Joli...

Dès le lendemain, sous bonne garde, Agnès était reconduite en sa nouvelle demeure d'où elle ne devait plus jamais ressortir. Tout au long du voyage, elle fut très calme et très gentille, serrant sur son coeur plus que de coutume sa vieille poupée fidèle à ses élucubrations les plus diverses et les plus sataniques.

Elle ne demanda même pas où on allait tant elle était occupée à boire ce paysage neuf de ses grands yeux sans fond, tellement il lui semblait évident qu'elle rentrait chez elle... dans son nouveau laboratoire... son centre de recherche où elle pourrait enfin et sans entrave pousser plus avant ses investigations sensorielles depuis trop longtemps déjà stagnantes et sans rebondissements...

Elle se plut tout de suite dans ce grand bâtiment où on lui présenta une alliée, sa copine de chambre, qui lui servirait du même coup de mère puisqu'elle devait bien faire le double de son âge. Au fil des jours et des semaines, une connivence magique s'établit entre Agnès et Laurentienne Loiseau, cette grande savante qui semblait tout connaître et qui ne demandait pas mieux que de faire profiter le petit génie de ses connaissances si chèrement acquises au cours des années dans différents lieux où le savoir est monnaie courante.

Cette Laurentienne Loiseau était faiseuse de miracles et ne mit pas long à raconter sa vie à son élève curieuse de tout connaître. C'est ainsi qu'Agnès apprit que maître Loiseau s'était guérie elle-même, à l'âge de quinze ans, d'une poliomyélite la clouant au lit depuis de nombreuses années. C'est d'elle aussi qu'elle apprit que, grâce au subconscient, rien n'est impossible... Elle mit ses connaissances toutes neuves au profit de son âme.

C'est auprès de cette même Laurentienne Loiseau qu'Agnès trouva à parfaire son éducation, notamment en ce qui a trait à la base de l'âme, du corps, des relations réelles entre Dieu et nous, à la doctrine même de Pantagély datant de plus de trente mille ans. Elle tâta aussi du Rose-Croix, cette psychologie expliquant la création de Dieu et de nous-mêmes par l'occultisme. Laurentienne lui enseigna aussi le culte de Madzanian, la théorie de la pureté du corps obtenue par un régime végétal intégral.

Pendant de longues années, grâce à sa compagne de chambre, Agnès à Ti-Mine Barthelotte se frotta aux pouvoirs de la science, elle qui depuis toujours rêvait d'apprendre, de surprendre et surtout de comprendre... ce qui n'était vraiment pas pour la ramener dans le droit chemin...

C'est comme ça qu'à force de polir le mystère, de fourbir ses théories, la petite Agnès vieillie avant l'heure succomba un beau jour, entre deux prises d'urine, la doctrine de Pantagély et le culte de Madzanian, à une commotion cérébrale des plus violentes qui alla jusqu'à lui briser le cerveau en deux comme une roche plate fendue par le gel.

À son père Ti-Mine, venu quérir le corps les yeux dans l'eau après plus de vingt ans de voulances ennuyeuses qui n'avaient pu effacer le visage de l'enfant en son coeur tendre d'homme dur, un médecin au parler savant et aux lunettes rondes ouvrit un dossier, épais comme le catalogue Eaton, sentant l'éther et le formol à assommer un c'hval avant que, dans un accent savamment étudié, de prononcer: «Votre petite Agnès, cher monsieurre Barthelotte, que Dieu ait son âme, faisait malheureusement partie de cette catégorie d'êtres à l'esprit malade que l'on nomme dans notre jargon qui n'a rien à voir avec le vôtre, vous en conviendrez, constitution paranoïaque. Ce qui veut dire qu'elle souffrait de dédoublement de la personnalité contribuant à loger, dans son cas, une savante dans un corps d'enfant... Et comme si cela n'était point assez de grands mots pour votre troisième année B, Agnès avait commencé, il y a déjà plusieurs années, à développer une psychose hallucinatoire devenue chronique à l'aide de sa grande amie et compagne de chambre que je me chargerai tantôt de vous présenter: madame Emérentienne Loiseau qui fut une véritable mère pour votre fille et une brillante collaboratrice pour nous...

«Comme je le disais plus tôt, cette fameuse psychose hallucinatoire la poussait à toutes sortes d'excentricités pour le moins farfelues dont je prendrai bien soin de vous faire grâce ici... Néanmoins, son cas est un des plus intéressants à divers titres qu'il me fut donné de côtoyer en plus de trente ans de pratique. Plus intéressant pour nous que pour vous, je vous le concède, mais intéressant tout de même...

«Pris comme expérience sociale, il tente d'expliquer la curiosité des débiles profonds se livrant hélas trop souvent à de hautes spéculations en cherchant les secrets du surnaturel... Là comme ailleurs, plus souvent qu'autrement «qui s'y frotte s'y pique...»

«Ce qui tend d'ailleurs à expliquer que jusqu'à sa dernière heure, son ultime souffle de vie, le délire d'Agnès n'a eu de cesse de grandir de jour en jour, contribuant ainsi à enrichir sa personnalité, jusqu'à en faire le seul être en Occident prétendant posséder douze sens, ce qui est le plus haut degré d'évolution sur terre... C'est pourquoi sa mission aussi spéciale que claire et nette était de faire connaître *la vérité*...

«Ceci s'explique, cher monsieurre Barthelotte, du fait que votre petite Agnès aurait vécu en Orient dans une vie antérieure, d'où sa grande supériorité... et les douze sens dont elle était la tenante et qui sont, paraît-il, le privilège exclusif des Orientaux. Sa mission était claire, cher monsieurre Barthelotte, je vous l'ai dit, je vous le répète: *Faire connaître la vérité*»...

«Quelle vérité, maudit bâtard sale de bouche en cul d'poule, de tabarnak détamé, d'hostie panées, de plus fou que ceux qu'tu soignes?... Si c'est ça ta vérité, j'aime mieux, pis un chrisse de boutte à part de d'ça, les ment'ries d'église qui font pâtir mais qui rendent pas fous... que vos hosties de discours pas déchiffrables... les vrais fous c'est les ceuses qui soignent, les têtes de beurre comme toi qui peut pas s'approcher du poêle sans pard' des morceaux, les génies qui parlent comme des dictionnaires pis qui sonnent creux comme des bailles vides...»

C'est sur ces paroles d'une sagesse inouïe que Mine se retire, la larme à l'oeil, le dos courbé par la lourdeur de l'âge et ce qui reste de la dépouille de sa fille aînée qu'il glisse dans la boîte du camion avec mille précautions.

Un peu plus pesant que de coutume, Ti-Mine, comme il l'a fait tant de fois dans sa vie, se hisse au volant du vieux camion à la fois triste et heureux...

Triste de voir que sa seule ignorance pourtant si pleine de gros bon sens en d'autres temps n'a rien pu faire pour cette enfant morte bien avant son temps... Heureux, à la seule pensée qu'Agnès connaisse enfin le grand repos qui sera, par le fait même à partir d'aujourd'hui le sien, sachant enfin sa fille en des contrées où l'odeur et le goût ne se chagrinent point d'un bas sale et d'une goulée plus ou moins salée qu'il ne le faudrait...

En allumant sa «pollock», Ti-Mine embraya, calant tout son poids d'homme et de bête de somme dans le vieux siège écrasé par le fessier de l'habitude, ce poids d'homme dur au coeur tendre plus occupé à gagner la croûte d'une quinzaine de bouches gourmandes qu'à interroger les sens, à propos de ci, de ça, de patati et patata...

Avant de s'engager dans la vallée tortueuse, après plusieurs heures de route et bien des larmes chaudes d'espoir, Ti-Mine s'arrêta pisser à Routhierville et n'eut pas envie le moins du monde d'en mettre en bouteille...

Question de vérifier si son chargement ne s'était pas déplacé en cours de route, il jeta un coup d'oeil à l'arrière du camion pour constater, à sa grande stupéfaction, que la boîte contenant le corps de son Agnès semblait remuer de bien drôle de manière.

Pour satisfaire sa curiosité d'homme et s'assurer qu'il n'avait pas la berlue, Mine souleva le couvercle retenu par un simple crochet pour voir Agnès s'en éjecter à force de cris d'animal pris au piège. Le pauvre homme qui en avait déjà trop subi dans sa vie, mourut sur-le-champ, foudroyé par un infarctus du myocarde.

C'est à ce moment que la folle en profita pour se tirer de sa fâcheuse position et au grand galop dévaler du côté de la Matapédia qui déroulait son mousson et ses effluves de fosses en rapides, sous l'oeil conciliant de quelques pêcheurs américains encanotés pour pêcher le saumon.

Ce sont eux qui rapportèrent les faits.

Ils avaient vu la névrosée courir à belle épouvante pour enfin entrer dans la rivière et se jeter dans un tourbillon qui l'emporta vers des contrées à la mesure de sa folie, raclant le fond et les branchis jusqu'à disparaître totalement de la surface des eaux.

Son corps ne fut jamais retrouvé et le grand médecin spécialiste de Mont-Joli au fin «parler» fut amené à s'expliquer sur le phénomène Agnès. Il devait conclure, à la faveur de sa science retrouvée, ce qui lui paraissait très simple: la folle avait fait une syncope, avec tous les symptômes de la mort apparente, et alors qu'on la croyait bel et bien morte, elle ne faisait qu'emmagasiner de nouvelles forces, une nouvelle vie pour renaître et perdurer, pour survivre à sa folie, ce dérèglement des sens qui devait emporter son père avant elle au pays d'où l'on ne revient pas, en ces contrées où les sens ont, paraît-il, tous les droits...

C'est ainsi que pour souligner son génie et célébrer tout le mystère l'entourant, l'hôpital de Mont-Joli fut rebaptisé Pavillon Agnès Barthelotte le jour de l'enterrement de Ti-Mine, qui passa inaperçu devant l'ampleur d'une telle reconnaissance des douze sens d'Agnès. Agnès qui devait, par delà sa folie, perpétuer le nom de son père à grandeur de péninsule, évitant du même coup une enquête des plus poussées à l'endroit du spécialiste qui aurait été bien en peine de répondre, à en juger par la méprise qui avait fait deux malheureuses victimes, au nom du «secret professionnel» et du Collège des médecins.

L'analgésique auréolé de gloire de l'institut rebaptisé calma les plus curieux et la vie reprit son cours au village en fleurissant jour après jour tant la fosse du père que la mémoire de la fille. Comme quoi il n'est de mystère... que terrestre...

Notes noires et canne blanche

*Ce qu'il y a de meilleur
dans l'homme,
c'est son chien.*
Chardonne

Depuis que le monde est monde, l'homme et le chien ont entretenu des rapports privilégiés. Des relations aristocratiques, mordantes, libertines ou cavalières, peu importe, puisque après tout ce temps, la grande amitié les liant perdure encore contre vents et marées.

Que ce soit comme gardien, chasseur, berger, guide, le chien est souvent considéré, à juste titre d'ailleurs, comme le meilleur ami de l'homme à cause surtout de la fidélité sans borne qu'il porte à son maître et de la grande générosité envers celui-ci émanant de tout son être.

Il est même assez étonnant de constater que deux races pourtant bien distinctes, l'une humaine et l'autre animale, puissent avoir autant d'affinités, autant de points communs, allant souvent de l'apparence jusqu'aux traits de caractère.

Il en était ainsi d'Horace à Modeste Essiambre et sa chienne Belle, deux inséparables amis dans toute la force du terme, deux complices, deux frères regardant dans la même direction en prêtant l'oreille aux bruits les plus subtils, en remuant les narines au même vent changeant, à la même apparence de...

Deux êtres en tous points semblables, ou à peu près...

Horace était un beau grand jeune homme au visage d'enfant demeuré, élancé, bon, calme, une espèce de colosse au coeur tendre, un géant de charpente, un nain d'âme doté par la nature d'un corps carré et puissant, d'une barbe et d'une moustache bien fournie, à l'allure désinvolte et généreuse.

Sa chienne Belle, son amie de toujours, trahissait bien toutes les caractéristiques propres à sa race. Race noble et fière, de vaillance et de loyauté, dotée d'un flair au-dessus de la moyenne des chiens, de capacités morales et physiques exceptionnelles, au poil rude et légèrement ébouriffé pouvant avoir l'air rébarbatif quand on ne la connaissait pas, même s'il n'en était rien, étant en réalité un animal réfléchi et équilibré, d'une gentillesse et d'une tendresse à toute épreuve envers son maître.

Tel était ce drôle de couple, heureusement assorti et des plus attachants, composé d'Horace et de son inséparable chienne, bouvier des Flandres, répondant au nom de Fine ou de Tendresse tellement sa bonne humeur, sa joie de vivre et sa cordialité, de même que la braise couvant en ses yeux en tout temps, la rendaient intelligente tout autant qu'indispensable.

C'est pour toutes ces caractéristiques et pour bien d'autres encore, mais surtout pour ce brasier de lumière en ses yeux qu'Horace ne pouvait faire un pas sans avoir à ses côtés pour le guider sa chienne qui, au cours des années, était devenue «ses yeux» par la force des choses...

Ses yeux et un peu ses pas... puisque Horace à Essiambre était aveugle de naissance. Il était venu au monde comme tout autre enfant à l'exception près que de minces filets, des voiles avait-on dit, recouvraient ses petits yeux pressés de voir le jour.

Il n'avait pourtant jamais eu droit à ce privilège tout naturel de voir l'éclat du jour poindre à l'aube de ses paupières comme le commun des mortels, jamais eu droit de dévisager en plein soleil et la mer et le ciel quand ils ne font plus qu'un, pressés de refaire le monde à leur convenance, de savourer un coucher de soleil dans toute la volupté de son corsage généreux, d'assister, ému, à l'étreinte du vent quand il gonfle la croupe de la baie jusqu'à devenir, pour un temps, fol amant, de goûter, ne serait-ce que du bout des yeux, le velours d'une fleur en bouton, la dentelle d'un givre ourlé par février à la fenêtre du nord; il n'avait jamais eu droit de plonger dans un regard franc ou misérablement masqué et, pour le simple plaisir de se savoir bien vivant, d'admirer la beauté d'un enfant dans toute sa force et sa fragilité, dans son mystère et sa grande sagesse miniaturisée pour un temps.

Jamais ses yeux n'avaient vu... jamais ils ne verraient...

Horace le savait et avait même, avec le temps, pris le parti d'accepter cet état de choses, se recréant à la mesure de sa finesse d'esprit et de sa grande sensibilité d'artiste dans l'âme, un petit monde intérieur des plus confortables où très peu de gens avaient droit de cité, où il pouvait pénétrer par le toucher, l'odeur et une espèce de sixième sens lui permettant de deviner, à travers un code étrange dicté par les ondes, les humeurs et les caractères, les vrais, les faux, la pitié et l'amitié.

Cette amitié était d'ailleurs la clé de ce petit monde sans murs ni préjugé lui servant de maison, de pays, d'espoir, d'amour, de rêves et de toutes ces choses indispensables à l'avancement et à la compréhension d'un être doué de raison, de sentiments, de frissons et de sens répondant aux mêmes fonctions que le commun des mortels.

Ses yeux à lui passaient d'abord et avant tout par le toucher, celui des cinq sens à l'aide duquel on reconnaît par le contact direct de certains organes, la forme et l'état extérieur des corps. On distingue, dans le toucher, cinq sensations qui n'avaient plus, depuis longtemps, de secrets pour Horace à Modeste, soit le contact, la pression, la chaleur, le froid et la douleur. Si les quatre premières sont perçues par des points bien précis de la peau et acheminées là où il faut, la dernière est transmise du corps au cerveau, instantanément, par tout un système de relais efficaces.

À cause de ce handicap majeur il devint un enfant surprotégé à qui toutes les attentions furent permises et, même, recommandées. Horace n'avait point été trop malheureux, n'ayant pas vraiment connu cet étrange état de choses, ce sentiment étouffant de la boule dans la gorge, ce mal de vivre lui annonçant que rien n'était pareil, ne serait jamais pareil ni de l'enfance, ni de la vie, ni de la mort, aux autres enfants qui l'aimaient bien et lui donnaient toute l'attention voulue, contribuant ainsi à rétablir quelque peu l'équilibre précaire avec lequel s'aventurait l'Horace.

Comme tous les enfants, Horace avait commencé à bouger, à marcher, à grandir, à se cogner aux murs étroits de la petite maison, à débouler l'escalier, à se plaindre, à se trouver de plus en plus à l'étroit dans sa cage de chair, dans cet espace intérieur, ce noir absolu et omniprésent auquel il ne pouvait, auquel il ne pourrait, malgré toute la meilleure volonté du monde, jamais échapper autrement que par la pensée, le toucher et l'ensemble de ses sens qu'il devrait au plus tôt mettre à contribution pour la survie de son existence même.

Sa mère, qui le devinait plus que toute autre personne, connaissait ses inquiétudes, ses angoisses. Elle rêvait, pour ce fils qu'elle aimait par-dessus tout, d'une vie quasi normale, d'une autonomie toute légitime qui ne pourrait faire autrement que le rendre heureux et du même coup la rendre heureuse, la soulager, la déculpabiliser d'avoir chuté sur la glace peu avant sa naissance; culpabilité lui imputant le tort de cette infirmité, y voyant un lien direct.

C'est pourquoi elle écuma les hôpitaux, les cabinets de médecins, les centres de services sociaux et toute la paperasserie gouvernementale jusqu'à ce qu'on admette son fils dans une école spécialisée de Montréal qui se chargerait de lui inculquer les connaissances indispensables pour surmonter son handicap.

C'est ainsi qu'Horace, le jour de l'anniversaire de ses six ans, se retrouva en compagnie de sa mère, émue, sur le quai de la petite gare de Carleton, à la fois heureux et inquiet. Heureux à l'idée de faire ce grand voyage en compagnie de sa mère qu'il aimait tant, à l'idée de se rendre à Montréal, cette grande ville inconnue dont tous parlaient avec émerveillement, à l'idée aussi de côtoyer un monde différent avec ses sensations nouvelles et étranges, auxquelles son toucher et son ouïe ne pourraient donner de noms, d'explications et de réponses, contrairement à son habitude.

Inquiet, il l'était à l'idée de se retrouver seul dans une école du bout du monde avec des gens dont il ne connaissait ni l'odeur ni le toucher ni même la parole...

Le voyage, qui fut long et triste, lui permit des familiarités depuis un certain temps oubliées, celle entre autres de blottir sa petite tête sur le ventre chaud d'amour de sa mère pour noyer ses larmes à même ce corsage retrouvé, pour le sevrage de l'âme cette fois, cent fois pire que celui du corps, du simple fait que l'inconscient fait place au conscient, l'état de bébé naissant à celui d'enfance et de meurtrissures des partances premières et inoubliables. Doucereuse volupté soudainement retrouvée en cette chaleur et cette odeur maternelle lui rappelant les cris d'oiseaux familiers de mer claquant entre la batture et le large, mêlée d'odeur de pain de ménage et de savon du pays, palliant ainsi pour un instant, si bref soit-il, à ce noir opaque et omniprésent lui bouchant l'horizon par tous les pores de la peau, et faisant de lui un être sans yeux et par conséquent sans jambes qui ne pourrait jamais marcher seul, du moins le croyait-il... et sa mère aussi...

Dans un silence de déportation, Laurette à Philias, la larme à l'oeil, la gorge nouée, conduisit son fils adoré à l'Institut des aveugles où l'attendaient les Soeurs Grises, les moniteurs et une foule de petits compagnons piailleurs et joyeux qu'il prit tout de suite plaisir à effleurer du bout des doigts, des narines, du coeur et de l'âme et finalement de la paume et de la tendresse, se sentant désormais moins seul, investi d'une lueur aussi faible soit-elle qui ne manquerait sûrement pas, avec le temps, de lui ouvrir les volets de la curiosité sur un monde de connaissances à apprivoiser, rempli de nouveaux amis, de nouvelles odeurs et douceurs à découvrir au plus tôt.

Quelques larmes rondes d'amour coulèrent sur ses joues roses d'enfant aimant lorsqu'il toucha pour une dernière fois le visage, le cou, les lèvres, les mains et surtout l'âme de sa mère, tête blottie en son corsage, et surtout l'âme... cette portion d'invisible si habitable que l'aveugle devine par-dessus tout, étant le seul à pouvoir la prendre dans ses mains pour lui donner une forme des plus généreuses, lui laissant pour un instant respirer l'air du dehors, l'air du large chargé de cris d'oiseaux et de voiles claquant à mi-chemin de tout dire... avant que de la fondre au large de son oreille, mêlant son absence aux cris de joie des enfants sans malice, des enfants retrouvés avant de se connaître véritablement, des enfants vieillis avant leur temps par ce trop grand silence qui ne peut, tôt ou tard, que finir par parler de lui-même, des enfants vieillis à force de croire à l'amour... à la lumière... à l'espoir... à la beauté qu'ils ont si souvent effleurée des doigts, tenue dans leurs mains, bue à pleines gorgées, sentie, goûtée... comme un fruit défendu que la branche dans sa dormance retient à l'arbre... prisonnier de lui-même et du rêve...

Loin de s'ennuyer, comme l'avait d'abord cru sa mère, Horace, ayant retrouvé après un temps le petit bonhomme de ses six ans, commença à prendre le taureau par les cornes et la vue par la canne pour interroger ce grand silence drapé de noir en le provoquant, lui cognant sur la tête du bout de sa canne effrontée et orgueilleuse. Tant et si bien qu'au fil des ans, quand sa mère le retrouvait à la petite gare de Carleton à la fin de juin, elle avait peine à le reconnaître tant il avait grandi, changé, encore embelli, tant il semblait si bien se débrouiller en maniant la canne blanche par le bout du nez pour qu'elle le conduise à peu près où il voulait, comme pêcheur dans la brume entre côte et mouillure.

C'était toujours une fête pour sa mère que de voir arriver ce fils qu'elle aimait par-dessus tout, de même que pour le voisinage qui était tout yeux tout oreilles devant cet enfant semblant accepter son sort avec une rare maturité.

Pendant ces longues années d'absence dont sa mère ne put jamais s'habituer tout à fait, Horace continua à parfaire son éducation, à apprivoiser ses yeux rebelles, sa peur, de même que son entourage immédiat et cette nuit sans fin qu'il avait fini par aimer et trouver confortable et pleine de réponses.

C'est ainsi qu'à l'âge de seize ans bien sonnés, faute d'argent et de mille bonnes raisons, on jugea en haut lieu que l'apprentissage d'Horace était bel et bien terminé, qu'il était désormais capable de faire face seul aux écueils de la vie, aux mystères de l'existence, grâce à sa canne blanche... et aux yeux et à la fidélité d'une magnifique chienne nommée Belle, dressée pour conduire un aveugle, qui lui avait été donnée en cadeau de graduation pour s'être classé premier dans toutes les disciplines.

Quelle fierté pour Horace de débarquer à la petite gare de Carleton cette année-là, précédé de Belle, noble et fière, à la stupéfaction des curieux réunis pour son arrivée.

Si tout un chacun était des plus heureux de retrouver Horace, pour de bon cette fois, c'est quand même Belle qui eut droit à tous les honneurs. Un si bel animal, doué d'une intelligence si rare et d'un amour si grand pour son maître, n'avait jamais été vu dans les alentours... même que certains, pour un temps, se surprirent à envier Horace.

La bête était si magnifique que la mère d'Horace et le village en entier l'adoptèrent sur-le-champ.

C'était une beauté de voir déambuler Belle, déguisée en guide et garde du corps, au bras du jeune Horace, radieux comme jamais. On ne les voyait jamais l'un sans l'autre et on avait toujours un bon mot pour chacun, comme si c'eût été un manque de politesse que de saluer l'un sans passer sa main sur la tête de l'autre. C'était une bien belle connivence qu'ils avaient développée là, au cours des ans, une complicité que plusieurs enviaient...

Horace, devenu un homme, n'était pas sans faire battre le coeur des donzelles par sa gentillesse et sa beauté digne des dieux, mais Horace n'avait d'yeux que pour Belle, que l'on avait fini par appeler au village «Les yeux d'Horace...»

En plus de l'amour de sa mère, de Belle et des voisins, Horace pouvait compter sur une tout autre forme de charme; l'attirance pour la musique, plus précisément pour le piano qu'il avait pu étudier à l'Institut pendant bon nombre d'années et qui occupait la majeure partie de son temps, entrecoupé de ces marches voluptueuses et sans fin au bord de la mer au pas de Belle qui, oreilles dans le vent, le menait toujours à bon port, de batture en cap, de côte en crique, de rêve en réalité, d'odeurs salines en griserie matinale.

Horace aimait tout particulièrement cet instrument étrange auquel il avait été initié par monsieur Césaire, cet instrument merveilleux permettant de traduire ses états d'âme, ses états d'homme sans trahir aucun secret, comme entre la chair et l'os, entre l'arbre et l'écorce, le rêve et la réalité, permettant d'exulter bien des fantaisies, des fantasmes, comme un phare lumineux vient à bout d'une mer de brume, par instinct...

Maintenant que sa mère à bout d'âge s'était éteinte comme chandelle au matin, ne lui restait que sa soeur Mathilde qui tenait maison, sa chienne Belle et le vieux piano d'acajou trônant au salon comme grande visite, ce piano qu'Horace arrivait à faire parler merveilleusement par-devers lui, sous ses seuls doigts frileux pressés de dire...

La vie coulait comme fleuve en la mer, sans coup du sort ni tempête, sans échouerie ni mâture, agrémentée de ces longues marches sur la grève, de ces longues marches le menant, avec un peu de bonne volonté, au bout du monde, au pays de Chopin, de Ravel, de Debussy, au pays de Strauss et de ses valses belles et mouvantes comme la vie qui jouait des hanches en déchirant les pages des calendriers et en brûlant les almanachs, sans respect aucun pour le temps, ce vieux vagabond bien trop pressé de faire sa ronde.

Horace préférait, et de beaucoup, jouer sur les notes noires; peut-être se sentait-il plus familier avec ces alliées naturelles qu'il n'avait pourtant jamais vues... C'étaient aussi les préférées de Belle bien que celleci eût été en peine de dire pourquoi. Peutêtre justement parce qu'elle sentait que son maître les affectionnait tout particulièrement.

À chaque fois, en faisant le dos rond sous le banc de son virtuose de maître, elle s'endormait recroquevillée comme pour ne rien perdre de cette musique la faisant ronfler à pleins poumons, avant que de la mener en des rêves profonds où se dessinaient des os riches de chair, en des spasmes convulsifs où elle paraissait particulièrement agitée.

Le temps veillait par-dessus l'épaule d'Horace et de Belle devenant de plus en plus pesante et essoufflée en ces marches raccourcies les menant autrefois jusqu'au bord du monde...

Horace se plaignit avec le temps d'engourdissement de la main, cette main cajolant les noires avec tant de dextérité...

C'est en les amourant qu'il s'écroula, brisant du même coup le rêve de Belle ronflant à ses pieds, qui bondit en aboyant toute sa peine jusqu'en haut où dormait Mathilde qui accourut aussitôt.

À le voir ainsi souffrant et contorsionné, Mathilde reconnut sa pauvre mère en allée depuis longtemps déjà, cependant que Belle lourdaude et geignarde le couvrait de coups de langue, espérant ainsi le sortir de cette torpeur des plus inquiétantes.

Hospitalisé à l'hôpital de Maria, Horace avait été victime d'une crise, dont le résultat était une paralysie très grave qui le confinerait au lit pour un temps.

La grande valse des jours heureux et des marches sans fin semblait avoir suspendu son vol pour longtemps...

Belle ne voulait plus manger et dépérissait à vue d'oeil cependant que l'état d'Horace se maintenait au beau fixe... Jusqu'au jour où une seconde attaque, plus sournoise que la première, l'emporta au pays des lumières et de la transparence à jamais.

L'aveugle «passa» comme l'éclair, en poussant un grand cri entendu à la grandeur de l'hôpital, un cri chargé de trémolos que certains traduisirent par: B... E... L... L... E...

Au même moment, endormie comme à son habitude sous le banc du piano en attendant le retour de son maître, la chienne amaigrie et mourante rendit l'âme à son tour, en des rêves d'os bien gras, de maître caressant, de notes noires, de cannes blanches et de marches sans fin permettant de voir... l'invisible... le mystère... la lumière... ultime réponse à toutes questions terrestres...

À croire que la brave chienne avait entendu l'appel de son maître désespéré et que, dans toute sa fidèle générosité, elle avait choisi de l'y rejoindre en cette ultime marche au bord du monde...

Néanmoins, en refermant le piano sur les noires poussiéreuses quelques jours plus tard, Mathilde ne put s'empêcher de les voir courir tous deux encore une fois au bord de la mer, cette mer qui les mènerait au fleuve d'où l'on ne revient pas... là où le souffle s'épuise à boire le vent, au pays de l'écho qui ne manquerait pas de renvoyer à leur seule vue des relents d'étranges mélopées où se fondraient dans la plus grande des douceurs... comme un mélange d'aboiements, de noires et d'éclats de rire.

Lune gommeuse et poignets slaques

Tonio du Chien avait hérité, à la mort de son père, d'un flat prenant l'eau, de trois vieux filets en état de pourriture avancée, de quelques gréements sans autre valeur que celle dite sentimentale et de l'amour du large, cette espèce d'attirance se glissant comme par-devers soi entre la chair et l'os, cette féminitude frissonneuse et frémissante, ce mystère profond mettant les rames aux tollets et le coeur à l'ouvrage pour peu que le poisson entre dans la danse.

Ce qui en faisait un homme immensément riche. Un être possédant la mer d'un seul coup d'oeil vaut bien tous les millionnaires de la terre, emprisonnés dans des gros portefeuilles sentant l'épaule de moutonne et la bourrure de colliers.

Et du jour au lendemain, sans se poser d'autres questions que de répondre à cet héritage, Tonio avait enfourché sa monture

233

direction grand large, question de tâter l'aventure, bien ancré sur son mouillage...

Ce fameux haut-fond que les anciens avaient baptisé entre eux bien avant sa naissance «la petite eau de la chaîne», mouillée entre celle de l'ouesse et du suroît et ayant pour amers «la butte à Sidas par temps clair et le cap de la batture, par brumage, plus souvent nommée «la light».

Il faut dire que Tonio du Chien connaissait aussi bien le large que la terre de roches de son père et qu'il lui arrivait même parfois d'en comparer les fonds, les crevasses, les buttereaux et les creux.

Le p'tit fond, la butte des Anglais, le corps mort, le gros cap, quart du nord, quart de l'ouesse, la butte à Mounette, le cap à Narcisse et la batture à Minique n'avaient pas plus de secrets pour lui que le haut des cuisses de la veuve à Théo, endurcie à l'écrémage du lait de beurre des jeunesses du village, à la tête fromagée de pollutions nocturnes et de p'tites vites dans le chemin des buttes d'une Pierrette au quarante-cinq du cross side des orteils croches et des talons ampoulés au troisième degré entre deux pleines lunes et deux s'maines de guenillage aussi abstinent qu'inconfortable.

En des temps autres et reculés, cette ancrure de la petite eau de la chaîne mouillait des dizaines de bateaux jour après jour, les emplissant à ras bord, dépendamment du temps et de la saison, de homards, de plies, de harengs, de maquereaux, de gaspareaux, de morues fraîches et barbues, de chien de mer et de crapauds, de poules de mer et de truites roses comme un verbe aimer astiqué par la langue douce de trois nuits blanches...

Malheureusement pour Tonio du Chien, cette manne déprofundis était désormais chose du passé puisque les espèces, les unes après les autres, avaient déserté les fonds pour des ailleurs meilleurs, des terres à engraisser, des West Indies à saler, des Amériques à empailler, des aquariums à remplir et quoi encore, si bien qu'en moins de temps qu'il n'en faut pour raser une morue barbue, la petite eau de la chaîne avait vu ses réserves abandonnées par le poisson d'abord et par l'espèce s'en nourrissant ensuite, l'homme, lancé à sa poursuite à creuseur d'horizon jusqu'à en empaler ses mâts dans les voûtes des cieux entre deux marées hautes et déchaussées.

Tous avaient dû troquer leur flats traditionnels pour des barges et des gaspésiennes, ces beaux bateaux à la croupe arrondie et au corsage fiévreux, remplacés à leur tour par les dragueurs, ces carnivores d'eau salée détruisant les fonds, remettant même en question la pêche artisanale et côtière pratiquée en Gaspésie depuis le premier matin du monde, au nom du profit personnel et des grosses poches aux testicules valsantes comme les côtes de la Bourse d'une après-dépression...

Certains avaient vendu leur petite embarcation, d'autres l'avaient brûlée au large, comme le veut la tradition, plutôt que de la laisser pourrir, voyant ainsi à lui donner une fin digne de son passé, une fin de large reconquis sans étoupe ni écuelle, un large de dernier voyage, un large de brume et d'âme en mourance...

Tous avaient gagné le large sauf cet entêté de Tonio du Chien préférant rentrer le soir avec quelques morues, maigres comme lui, plutôt que d'abandonner ce fond ayant bercé ses ancêtres, les premiers arrivés en Neuve-France en provenance de Saint-Servan en Bretagne, déjà pêcheurs longtemps avant que de naître, marins avant de crever leurs eaux, navigateurs solitaires et loups de mer à grand menton, morve au nez et pipe croche, comme il ne s'en fait plus, sauf quelques mauvaises imitations en cartes postales qu'on se dépêche d'affranchir, préférant licher le derrière de la tête de la reine que de dévisager des faux-prêtres ensawessés de plastique et burinés de putté de finition et de maquillage aux verres de contact bleus azur.

Malgré la risée dont il était l'inévitable objet, malgré qu'il rentrait plus souvent bredouille qu'autrement de ce fameux petit fond de plus en plus à la hauteur de son nom, Tonio ne pouvait, en son âme et conscience, se résoudre à abandonner cette mer natale l'ayant bercé de ses vagues inoffensives depuis qu'il avait l'âge des souvenances premières. L'âge de la lactance, du frimas à fleur de paume, du salin à perte d'être.

Et quoi qu'on dise, qu'on s'en moque, qu'on le traite de dingue et de tous les qualificatifs de même acabit, Tonio n'aurait voulu pour rien au monde changer de mouillage.

De toute façon, il n'était pas attaché aux biens de la terre, célibataire qu'il était et heureux de son sort. Il n'avait que lui à satisfaire et comme en matière de besoins il n'avait pas inventé le mot, il se contentait de peu, l'essentiel quoi...

D'une morue pour son souper, d'un coucher de soleil à grandeur de baie pour dessert, d'une lune aussi cornailleuse soit-elle pour la veillée, avant de rouler sur sa paillasse jusqu'à l'aube où le matin, son complice, ce forban d'infortune, viendrait encore une fois lui mettre les rames aux tollets et la turlute en main, ganté de manigots et d'espérance comme son père avant lui, mort de croire aux jours meilleurs, retrouvé dans la barre nette à Ti-Jules Alain à moitié mangé par les saumons à dos noir, les préférés des Américains... qu'il haïssait tant depuis ce jour, jusqu'à refuser de reculer l'horizon à bord de belles embarcations qui ne ferait que lui laisser l'âme de plus en plus vide, comme la baie d'ailleurs...

Il lui fallait avoir la foi des charbonniers pour ainsi croire au retour prochain du poisson sur les bancs de la petite eau de la chaîne, de l'ouesse et du noroît...

Néanmoins son oeil conservait sa brillance, ce sens du devoir accompli faisant qu'une voix intérieure vient nous rappeler, contre d'aucuns, que nous ne faisons pas fausse route même si tout tend à prouver le contraire plus souvent qu'autrement...

C'est sur ce fameux fond de la petite eau de la chaîne qu'entrèrent pourtant un jour dans la vie de Tonio du Chien, l'aventure et le merveilleux qui allaient changer le cours de son existence à tout jamais.

C'est en remontant ses filets à l'heure où l'ombre se fait la barbe, que le Tonio trouva dans ses rets une drôle de bouteille, alourdie de coquillages et de moussons, hermétiquement bouchée, qui semblait contenir une feuille de papier pliée en quatre. Croyant d'abord rêver, le jeune pêcheur se frotta les yeux, s'aspergea la figure à l'eau salée glacée du petit jour avant de reporter à ses yeux la précieuse fiole...

Il n'avait pas rêvé... il devait alors tout simplement s'agir d'une de ces bouteilles de miquelon que les fraudeurs passaient parfois par-dessus bord quand ils trouvaient la soupe un peu trop chaude à leur goût.

Après l'avoir tournée et retournée dans ses mains d'écorce tendre, il en vint à la conclusion qu'il ne s'agissait pas là du précieux alcool frelaté en provenance des îles Saint-Pierre pour deux raisons. Tout d'abord, les hanches de la bouteille, des plus sensuelles, n'avaient rien à voir avec les épaules carrées de la fiole miquelonnaise; ensuite, les braconniers de la mer n'avaient pas coutume de déposer des mots doux dans les fonds de bouteilles avec cartes d'affaires et numéros de folios...

Il fallait en convenir, Tonio du Chien était là en présence d'un fait nouveau... qui se chargerait de lui désaltérer l'avenir en gros chien à queue plate distillé au goutte à goutte des amours naissantes...

N'en pouvant plus, il gagna la côte à coups de rames redoublés pour s'engouffrer dans sa cabane au pied de la côte à Narcisse, pressé d'ouvrir cette bouteille au tire-bouchon de sa curiosité pétillante comme champagne de bon cru.

Le feuillet qu'il en extirpa quelques instants plus tard, quelques sueurs en plus, contenait quelques lignes tracées à l'aide d'une encre ternie et, au surplus, écrites en une langue qu'il n'était pas en mesure de comprendre.

Ne sachant trop quoi faire ou penser, Tonio s'en fut, bouteille en main, au pas de course chez la veuve Théotiste, celle que l'on disait sorcière, que l'on pointait du doigt et fuyait comme la peste pour une seule et unique raison: madame était instruite et pouvait, par conséquent, à force de bons jugements et de grands livres savants, interpréter des phénomènes, résoudre des problèmes que l'ignorance d'un village dans le gros sel avait jusque-là, hélas, trop souvent mis sur le compte de la sorcellerie...

Tonio du Chien ne croyait pourtant pas un mot de ces méchancetés que l'on avait eues trop souvent à l'égard de cette veuve sans malice lui ayant si souvent dégorgé le poireau... fait mousser le créateur qui s'était laissé branler la chatte au seul nom de la charité chrétienne et de la pleine lune.

À cause de ces familiarités de couchette, Tonio, gêné de son ordinaire, était dans le cas présent tout aise d'exposer l'objet de sa trouvaille et de ses inquiétudes à l'ingénue de service qui ne manquerait pas d'en piquer le mystère, à l'ail des découvrances, au clou de girofle de l'arrache-clou du savoir et, s'il le faut, à l'incantation d'un «p'tit clovis» chauffé à blanc par les bons services de Tonio qui, de son braillet ouvert, ne demandait qu'à oindre les saintes parois de son saint chrême consacré à l'eau salée du bénitier de la petite eau de la chaîne depuis la nuit des temps.

Théotiste, comme c'était son accoutumance, ne fut pas des plus longues à comprendre, elle qui en avait vu d'autres beaucoup mieux farcis du trognon... «Ce qui t'arrive, mon ti-chien à belle queue fortilleuse

241

de Tonio, est à la fois amusant et passionnant, inquiétant et rassurant... lui annonçat-elle en riant. Imagine-toi donc qu'une belle Saint-Pierrette te demande en mariage...»

Tonio n'y comprenait rien. Lui qui n'avait jamais rien pu réussir avec les femmes, sinon avec cette Théotiste de sorcière salope lui ayant appris à compter jusqu'à soixante-neuf sur les deux boules de son boulier jouisseur, se demandait bien quel farceur lui en voulait à ce point pour lui jouer pareil tour...

C'est alors que la vieille Théo lui expliqua à force de patience et de grands mots vulgarisés au doigt et à l'oeil que le fameux billet portait un message écrit à «la française de Saint-Pierre... un mélange de basque et de newfie qui était on ne peut plus clair...» dont le libellé était le suivant: Le beau chéri d'amour qui repêchera la fiole de ma virginité retrouvée et embouteillée voudra bien m'écrire au premier décours de la lune suivant le repêchage... de façon à laisser descendre la sève des amours promises entre l'arbre et l'écorce de mes désirs féroces, entre la cuisse et la fourche de mes amours farouches, de façon à faire publier les bans avant longtemps... car j'ai dix-huit ans, toutes mes dents, de la couenne plus qu'une paire de babines puissent en espérer et je cherche un mari, compris...»

Pour être facile à comprendre ça l'était en sirop d'cad'nas. Restait maintenant à savoir si l'offre intéressait le Tonio à grand' queue ou s'il préférait rester fidèle aux poignets qui l'avaient à ce jour fort bien servi en l'affilant au clair de lune aussi souvent que la faim décidait d'en prendre les moyens...

La belle ayant inscrit son nom en belles lettres, laissait entrevoir que c'était là une femme de goût qui savait ce qu'elle voulait et surtout... primordial... comment rendre un homme heureux en tenant le couteau par le manche et la racine du pi quatorze seize... au rayon lubrifié par la planche...

Une adresse donnant sur la rue du maréchal Fuck, mais aucune date...

L'écriture était en partie effacée, altérée sans doute par le long séjour en mer de la bouteille qui s'était frottée le goulot à bien des museaux marins avant que d'arriver à celui du Tonio croyant rêver...

La risée du village, le tout croche, la laideur, le simple d'esprit refuseur de progrès se voyait enfin offrir la possibilité d'épouser une princesse saint-pierrette dans la mouillure d'une lune gommeuse comme aucun poignet n'aurait osé, aussi expérimenté et affilé soit-il, ainsi soit-elle...

Ce qui sembla le plus surprendre Tonio c'est que la veuve, loin de paraître jalouse, encouragea le jeune homme en lui lançant à la volée: «Veux-tu lui écrire? Tu es seul, célibataire et en passe de devenir vieux garçon, si tu veux je répondrai pour toi. Ne t'en fais pas pour moi, je dégoterai bien une autre jeunesse du canton au membre dur et gossé à la vie, à l'amounettage des plus faciles qui se chargera de me ramoner le porte-crotte quelques fois par mois. Si tu as été capable d'apprendre, toi qu'on dit l'idiot du village, j'ose à peine envisager l'envers des nuits blanches qui seront désormais miennes avec un puceau bien huilé...»

La même journée, la nouvelle fit le tour du village comme une traînée de poudre, la rumeur à coups de mâchoires chauves et de dentiers slaques faisant déjà du nono à Tonio du Chien, un prince «qu'on sort» de sa cachette, futur mari d'une sorte de reine lointaine aux capuches à jumeaux resplendissantes de petit lait et de bout à se rouler entre le pouce et l'index.

Tous, les uns après les autres, déambulèrent pendant plusieurs jours devant sa cabane, lampions allumés en main et eau bénite à pleine cruche, aspergeant la chiotte branlante entre deux signes de croix comme s'il se fût agi là de quelque palais royal méritant le plus grand des respects, ce qui ne manquait pas d'inquiéter Tonio pour le coup de rein officiel d'un mariage limoneux très très bien consommé, de la poire et du fromage, de la margelle et du puits...

Par le plus curieux des hasards, on aurait pu croire que l'aventure qu'était en train de vivre Tonio et Théo... par la force des choses... était celle de tout un chacun tant l'affaire faisait grand bruit et plaisir à entendre autant qu'à répéter.

Les semaines suivantes, à tout bout de champ, à propos de tout et de rien, un curieux ou un voisin cognait à la porte de la cabane pour s'enquérir auprès de l'éventuel époux des nouvelles de sa future femme.

Même que les femmes du village avaient sorti leurs brochures et voyaient à jeter les bases du trousseau du futur couple royal en allant de la layette à la jaquette en passant par les dessous et les capotes en peau de matou filtreuse de vie, mangeuse de marmailles...

Pis encore, dans un souci d'amitié profonde, les pêcheurs réunis décidèrent de se cotiser pour offrir un cadeau de mariage digne du plus grand des honneurs à ce Tonio qui, jusque-là, avait été boudé par ceux-ci à cause de ses prises risibles et son refus du progrès le confinant à mourir ancré sur la petite eau de la chaîne.

Les plus faraudes avaient même commencé à chercher un prénom pour les futurs princes et princesses qui ne manqueraient pas de voir le jour sous peu à cause du Tonio savamment initié par la bouche pâteuse et les chairs molles de la veuve Théo, pressée d'en faire un homme aux couilles dignes d'un prince gaspésien portant ce nom...

Jour après jour, l'on demandait à Tonio s'il avait eu des nouvelles, fixé l'heure et le jour de ces promesses d'amours, pourquoi retardait-il tant, lui reprochant le fait que la race se perde, lui disant que le précieux de son jus ne pouvait infiniment jeter son dévolu... dans le cul d'une vieille bourrique à la croupe élargie par l'extase et l'orgie...

Hélas pour le roi, aucune nouvelle n'arrivait, aucune lettre timbrée aux couleurs chaudes de cette France d'Amérique qu'est la petite île de Saint-Pierre, rien, niet, corpus christi, poignets et châssis...

Si bien que le pêcheur voyait son espoir ratatiner autant que son avenir et que son moignon, semblait vouloir se dessécher dans son étui de chair depuis l'abandon de celui-ci par la veuve occupée à initier son futur remplaçant... au plus coupant...

Une nuit pourtant, il fut réveillé par un drôle de bruit: des coups sourds et saccadés frappés sur les murs de sa cabane. Croyant tout d'abord à une plaisanterie ou encore au bris d'antenne d'une chauve-souris apeurée, il se leva d'un bond et sonda les murs, avant que d'ouvrir la porte où rien d'anormal ne paraissait.

À peine avait-il retrouvé son lit qu'une chaise commença à bouger d'elle-même jusqu'au beau milieu de la pièce, cependant que des coups, dix fois plus forts que les premiers, menaçaient de rompre la table.

La bouteille qui y était posée, cette bouteille sûrement possédée du diable, qu'il avait remontée dans ses filets avec tant de joie, commença à s'élever dans les airs en dessinant des arabesques qu'il mit sur le compte de la folie jusqu'au moment où elle vint lui tomber sur la tête en lui déballant la plus belle prune jamais vue en Gaspésie, de mémoire d'homme...

Pris de peur, Tonio courut à perdre haleine jusque chez la veuve qui vint lui ouvrir nue comme un ver cependant que son jeunot qui semblait voir des étoiles prit le grenier, queue de paon déployée et rouge de honte.

En proie et aux prises avec de rares convulsions, il expliqua à la sorcière avec moult détails l'assaut dont il avait été l'objet de la part de la bouteille, la chaise, la table et les murs qui geignaient, tout y passa dans la minute tellement il ne voulait rien oublier de l'incroyable récit.

Ne trouvant rien d'anormal à l'histoire, la vieille Théo, en lui passant la main dans l'entre-jambes qui n'était vraisemblablement pas d'humeur à rire, annonça ses couleurs: «Je sais ce que ça veut dire, ne t'en fais pas, c'est fini. Je sais comment officier en ces cas, la nuit prochaine je serai chez toi et ferai en sorte que tout rentre dans l'ordre...»

La nuit suivante, comme la vieille l'avait appréhendé, les coups recommencèrent à marteler et les murs et le toit de la masure menaçant de s'effondrer à chaque instant à la stupeur de Tonio, aux rires de Théo, occupée à décoder, comme on le fait pour le morse, ces coups pour le moins rythmés qui semblaient avoir un sens, mais qu'il fallait néanmoins déchiffrer avant qu'il ne reste plus rien de la cambuse.

La vieille Théo se tourna finalement vers Tonio pour lui dire: «C'est ta promise. Il y a huit ans déjà qu'elle a jeté la bouteille à la mer; malheureusement elle est morte accidentellement deux ans plus tard, cornaillée par un taureau en trayant les vaches. De l'eau-delà, elle t'envoie un message de profonde gratitude et de remerciements pour avoir répondu avec tant d'empressement à sa requête de jadis.»

«Drôle de princesse morte cornaillée en trayant les vaches, se consola Tonio engouffré dans la «vallée de Josaphat» de Théotiste qui en prit pour son rhume toute la nuit durant, le sachant de retour pour de bon au ventre de ses vertus.

Dès le lendemain matin, sur le perron de l'église, Tonio assisté de la veuve annonça la triste nouvelle aux badauds réunis pour connaître, du moins le pensaient-ils, la date de l'heureux événement qui aurait donné une princesse à la Gaspésie, miraculeusement.

Tout le monde prit le deuil, à commencer par Tonio qui traîna son flat sur le sec sans un regard pour la chaîne de la petite eau qu'il devait déserter à jamais comme une traîtresse impardonnable.

À continuer par tout le village, incluant la sorcière à qui l'on imputait encore une fois ce coup du sort, le mettant sur le compte de la jalousie, connaissant trop bien le huilage de Théo par Tonio depuis le jour de son premier bandage de pisse potable...

Il y eut foule pour consoler Tonio et l'habitude toute conciliante prit le parti de l'appeler désormais «le veuf».

Et peu après la mort de la Théotiste, en proie à l'ennui et à l'affaiblissement des poignets et du reste, Tonio s'éprit d'une jeune voisine qu'il se plaisait à imaginer comme sa princesse saint-pierrette; il alla même jusqu'à la demander en mariage...

Malheureusement pour lui, la coutume l'avait précédé et avec elle ce surnom sans fondement véritable de «veuf» qui fit répondre «non» à l'enfant, au grand désarroi du nigaud qui se laissa sécher de peine le restant de sa vie: «Je n'épouserai jamais un divorcé ou un veuf...» ... Tout ça parce qu'elle avait osé lui jeter à la face sans respect son célibat endurci par la force de l'habitude.

Délirium très mince

*Passé l'enfance on devrait savoir
une bonne fois pour toutes
que rien n'est sérieux...*
Jean Rostand

Depuis qu'il était au monde, Ti-Roland avait toujours bu...

Bien sûr, comme tout enfant naissant, il avait eu droit, après la traditionnelle claque sur les fesses, à la tette réglementaire dont il s'était gorgé comme rarement un bébé naissant peut se vanter de l'avoir fait.

Il faut dire en cela que sa Georgette de mère était bâtie pour veiller tard comme on pourrait dire sans passer pour g'lère de croyance... amanchée même pour estropier du monde avec une capuche à jumeaux pendante par-devers elle comme un signe des temps, un don des dieux, un neuvième sens, une paire de «bouche-ta-yeule», comme on disait familièrement au pays, en se passant la langue sur les lèvres et la main dans l'entrecuisse...

La Georgette, un beau butin, un beau brin de femme qui avait gardé de ses descendants français, plus précisément bordelais, des connaissances que les femmes du voisinage n'étaient pas sans lui envier...

Elle qui était à la fois guérisseuse, cartomancienne, corsetière et généreuse... de la croupe et du poitrail, elle qui élevait ses enfants comme de futurs avocats, comme des petits papes, des sénateurs emboucanés de harengs rancis et saumurés, de morues jaunies de la ventraîche aux noves.

Ainsi, quand apparut en bout de piste ce petit dernier qu'elle baptisa Ti-Roland, elle décida de lui donner ce dont les autres avaient peut-être manqué, par la force des choses, soit amour et attention.

C'est ainsi que Ti-Roland, en cadet d'une famille de quatorze enfants gossés sur le tas, eut droit à un sevrage comme jamais aucun enfant gaspésien n'en connut dans ses premiers mois d'échouage sur les côtes d'un pays valonneux et limoneux comme pas un en Amérique.

Georgette, qui était tannée d'entendre les femmes du voisinage radoter à tout bout de champ «les temps sont durs»... avait trouvé quelque chose de plus dur et de plus méritoire à offrir à cet enfant naissant, des bouttes, des tettes si vous préférez, gorgés comme c'est pas permis de le dire, et durs... à s'y faire les dents bien avant son temps.

Avec un menu pareil, l'enfant prenait du pic et du poids que c'était pas disable.

Même que pour une quatorzième relevaille, la Georgette n'avait rien à envier à «la plus belle paire de la paroisse» en matières grasses et nutritives, à en juger par l'enfant qui profitait dangereusement, de manière prodigieuse et prodigue, ce qui n'était pas sans inquiéter les plus radoteux.

Georgette avait décidé que ce dernier enfant, mélange de suif et de mèche, serait son honneur et par conséquent l'honneur du village et, par extrapolation, du comté, voire du pays. Quand il eut six mois, elle commença donc à lui donner des goûts d'homme du monde en versant dans son biberon quelques gouttes de vin rouge concocté par elle-même grâce à une recette ancestrale. Quelques gouttes inoffensives qui ne feraient que lui rosir le teint un peu plus, lui allumer les yeux d'un pétillement d'intelligence qui, lui semblait-il, manquait aux autres.

Et puis ces quelques gouttes, qu'elle s'occupait à augmenter selon la variation et l'âge de l'enfant, semblaient l'aider à dormir, le calmer entre deux coliques débordantes remplissant une couche dans le temps de le dire.

C'est comme ça que Ti-Roland grandit, comblé d'amour, gorgé de vin rouge et de vision large comme le monde l'attirant tout particulièrement.

En grandissant, son sevrage, loin de s'amenuiser, avait tout l'air de commencer à prendre du ventre d'une façon pour le moins inquiétante qui semblait pourtant normale, aux dires de Georgette qui n'avait pas assez de tout son temps pour l'imposer à l'institutrice Pipette de l'école du rang qui le mettait à la porte trois fois par jour.

Comment faire autrement avec un garnement qui ne respecte ni Dieu ni diable, qui pogne les fesses et le reste des petites filles à pleines mains et en plein jour à la face d'une vieille fille qui, malgré ses cinquante ans bien sonnés, n'a jamais eu la chance de goûter au quart du dixième de la demie du traitement de faveur que le gorlot ne se gêne surtout pas de pratiquer en public.

Sans compter les fois où, pour prendre congé, il se glisse à l'intérieur de l'école sous le coup de midi pour empiffrer la truie déjà rouge de morceaux de vieux pneus qui boucanent à en donner congé pour trois jours, et autant de coups pendables qu'un garnement éveillé aux plaisirs de la vie est en droit de commettre, à la joie des uns, au malheur des autres.

C'est comme ça que les commissaires réunis en séance spéciale, le docteur ivre mort, le gros dentiste au nez rouge et l'inspecteur Leblanc, décidèrent d'en faire un hors-la-loi à qui l'école serait désormais fermée.

Là ne s'arrêtèrent pas leurs recommandations puisqu'ils décidèrent de porter le cas de cet enfant, que l'on disait de plus en plus menaçant pour la société du temps, à la face du bouc émissaire en charge de l'école de réforme de Sully dans le Témiscouata pour voir s'il ne pouvait pas, en bon redresseur de torts, remettre ce petit bandit, cet alcoolique en devenir, dans le droit chemin une fois pour toutes avant que l'irréparable ne soit commis, portant ainsi de sérieux préjudices à l'ensemble de la population.

Après avoir passé deux ans emmuré derrière les grilles de l'institution visant à en faire un futur saint on entrouvrit toutes grandes les portes sur le monde à Ti-Roland qui, fier comme un roi, prit la route du retour devant le mener au bout de quelques jours de pouce en l'air au Carleton de ses amours, n'ayant pas beaucoup changé depuis le jour de son départ.

Encore une fois, Ti-Roland était sacré héros malgré lui; on ne le quittait plus d'une semelle, sa horde de supporteurs le suivant partout à tort et à travers, le pressant de questions sur ses deux ans de détention qui ne semblaient pas, loin de là, avoir annihilé en lui «cette soif de vivre» bien particulière qui était sienne depuis le jour de son premier tétage empoitriné de vin rouge de la Georgette au bord de la défaillance, éblouie de voir comment l'enfant apprenait vite.

C'est ainsi qu'il eut, pendant les premières semaines, tout le loisir de leur raconter ses célèbres brosses au noir à chaussures et à la lotion à barbe lui ayant laissé voir de bien belles choses et parfois de bien drôles de bibites, ce qui n'était pas sans épater la galerie réunie sur le perron de la mansarde georgettale, morte entre temps d'une cirrhose du foie, ce qui semblait héréditaire dans cette famille de forbans tout droit échoués de la côte bordelaise sur les bateaux du temps, chargés d'espoir, de rhum et de scorbut.

À l'âge de seize ans, Ti-Roland se retrouvait orphelin, maître d'une galère qu'il se devait de prendre par la bride, bon gré mal gré.

Si, en ce temps, on était homme à seize ans, il en allait un peu différemment pour Ti-Roland qui, malgré un vécu pour le moins bien farci et un sevrage digne de mention, était demeuré à l'ombre de sa carrure de fier-à-bras, un petit garçon en mal de mamelles et de vin rouge, en proie à l'anxiété et à une soif incontrôlable lui rongeant l'esprit tout autant que les sens...

Les sens... ces baromètres de la température intérieure, ces cadrans à désirs, ces boussoles à plaisirs, ces sextants de luxure juste bons à se perdre sur des mers de volupté démontée, de paillasses molles en lits doubles, de babines cassées en poignets slaques...

En bon coq de village, Ti-Roland s'acoquina de la Pipette qui avait bien trois fois son âge et un chargement lui rondissant les côtes, menaçant de la couler à pic au premier coup du sort.

Certains avaient prétendu que l'institutrice de cinquante ans passés, au célibat à terre depuis toujours, avait glissé sur une pelure de banane... en s'allongeant de tout son long dans le lit du sortir de l'adolescence avec un enfant, une graine de bandit dans un corps d'homme, un soûlon de la pire espèce qui ne pourrait bientôt plus bander tellement la fiole lui éjectait les yeux et lui veinait le nez...

Et le plus choquant pour les commissaires à nouveau réunis pour statuer sur son cas, c'était que ce gibier de potence, cette graine de semence se vautrait non pas seulement avec la maîtresse à penser des enfants du voisinage mais dans les draps chèrement payés du ministère de l'Éducation qui ne tolérerait pas plus longtemps pareille déchéance, aux dires du docteur ivre mort, du gros dentiste au nez de plus en plus rouge et de l'inspecteur Leblanc bien campé dans son rôle de mentor canonisable et d'épouvantail à moineaux de la pire espèce.

On remercia sans façon la Pipette de ses services, qui déménagea ses pénates dans la masure de son encoquiné de Ti-Roland qui trouvait un peu moins comique d'avoir à continuer à s'emboufter à la face de tous avec une vache à lait tari par l'éviction d'un conseil municipal trafiqué au troisième degré.

Que ferait-il désormais pour assurer leur survivance? La question était de taille. Il paraissait impossible que l'institutrice, vu son âge avancé et sa piètre conduite au cours de la dernière décennie, trouve à se faire engager dans les écoles des alentours, à moins bien sûr qu'un miracle comme ceux dont elle avait vanté les mérites toute sa vie, au cours des leçons de catéchisme ne se pointe, ce qui paraissait de moins en moins probable.

Le bas de laine et la doublure de brassière étant épuisés, Ti-Roland retrouva vite sa soif des premiers jours, avec des moyens visant à l'étancher sur le tas, pour un temps.

Un beau matin que le vieux lit était tombé plusieurs fois en bas de son cadre malgré les invocations de la vieille fille au bord de la jouissance inconsciente, Ti-Roland dans un coup de rein sans merci avait eu tout à coup la vision des visions, une vision qui ferait du chemin, un coup de rein qui changerait le cours de l'histoire gaspésienne, qu'à cela ne tienne...

Le lendemain, Ti-Roland, au bras de celle qu'on prenait pour sa mère, s'embarqua pour Québec à bord des gros chars, en des airs qui inspiraient tout autant le respect que la méfiance, le mystère que l'impossible.

Loft pour loft, en débarquant ils hélèrent un taxi qu'ils chargèrent de les déposer au Parlement, s'il-vous-plaît-marci... Ni une ni deux... les voilà sur le parvis à jeter un coup d'oeil voyeur à la vieille ville roulant des hanches par ce matin pour le moins riche en couleurs.

Le ministre de la Justice, le vénérable et non vénéré Jolicoeur, aussi député de Bonaventure, reçoit ce drôle de petit couple qu'il connaît pourtant bien, d'une main molle et flasque tout autant que d'un regard de questionnement, s'attendant pour le moins au pire...

C'est alors qu'en toute iniquité, Ti-Roland tenant sa Pipette par la main, expose sa requête tenant à bien peu de choses dans la paume d'un ministre de la Justice sur le tard. Voilà, la chose est simple et Ti-Roland, de sa voix bien sevrée, y va de ces mots: «Vous comprendrez aisément, cher Ministre, que nous ne sommes pas ici pour vous demander de nous servir de père, notre sainte mère l'Église nous ayant déjà fait faux bond comme vous le savez. Vous n'êtes pas sans savoir non plus que la demoiselle Pipette ici à mon bras pendue, a été évincée de ses fonctions après trente-cinq ans de loyaux services sous prétexte

262

que l'amour est un bouquet de violettes qu'il n'est pas bon de servir à toutes les sauces. Permettez-moi d'en douter, n'étant moi-même assermenté qu'en matière de dépucelage, monsieur le Ministre, vous êtes dur à battre, n'est-ce pas ma chérie?

Le ministre, rouge comme une fin de mois, roule sur une fesse et sur l'autre pendant que la Pipette se charge de lui rafraîchir la mémoire...

«Tu t'en rappelles, tu cabalais pour devenir député quand tu m'as trouvée seule à la maison, tu m'as prise pour m'amender la constitution en râlant comme un cochon, pis j'ai pas pu rien dire au père par rapport que c'était ton organisateur en chef, pis qu'y faisait la même chose, mais ce jour-là, le jus d'c'rise, laisse-moi t'dire qu'y avait pas grand goût quand y m'a coulé du long des cuisses, y'en a pas plusse aujourd'hui quand j'vois ta face ratatinée de renard argenté... ça fait que l'jus c'est toi aujourd'hui qui va l'cracher...»

Pendant que le ministre blêmissait à vue d'oeil, Ti-Roland en profita pour préciser sa requête: «Trois mille... ça mettra pas l'gouvernement su'l'cul, tu te r'prendras avec la caisse électorale, les compagnies américaines ont l'oeil sur le cuivre du parc...»

Sans perdre de temps, le ministériel en bretelles signa un chèque de trois mille dollars au nom de Pipette Barriault sur lequel il prit bien soin d'inscrire au bas en lettres couleur jus de cerise: *paiement final*.

En remerciant comme des hauts dignitaires, ils prirent congé du bonhomme suant à grosses gouttes ce coup d'épée dans l'eau qu'il croyait noyé à jamais dans les marais de la mémoire d'une baie au ventre rond accoutumée à passer l'éponge sur les faits et gestes de certains portefeuilles passablement mal dégrossis en provenance de Québec et d'Ottawa, de temps à autre...

Ti-Roland se sentait riche à craquer, en pressant sa Pipette un peu beaucoup sur son coeur de futur contrebandier qui pourrait se rincer le gargoton aller-retour jusqu'à c'que soif s'ensuive...

Une fois débarqué à Carleton, Ti-Roland s'en fut rencontrer Pierrot du Chat, de qui il commanda une pleine charge, une pleine barge de miquelon que le fraudeur promit de livrer le mois suivant.

Ti-Roland s'en frottait les mains, après bien des écueils il venait de se trouver une vocation, tardive soit, mais vocation tout de même... et sa Pipette de fol amour, il pourrait, elle aussi, au moment voulu, la mettre à contribution de la cuisse et du poitrail au grand plaisir des touristes de passage...

Cinq semaines plus tard, Pierrot du Chat, à la faveur de la nuit, débarqua un plein tombereau de whisky en esprit dans l'étable de Ti-Roland menaçant de virer fou sur le coup.

Peu après, le négoce fort lucratif commença... Pipette reconvertie en tenancière de débit hors-la-loi, hardée d'un grand tablier à double fond, traversait le village pour livrer la marchandise où on la réclamait.

Pendant ce temps, Ti-Roland, les pieds sur la bavette du poêle et la barbe longue, gargarisait à plein tuyau, question de tâter la marchandise, simple souci professionnel...

Le prix plus que raisonnable et les bienfaits procurés par pareille liqueur contribuèrent grandement à agrandir le territoire de la Pipette ne fournissant plus désormais à effectuer seule toutes les livraisons, se contentant de conserver ses meilleures pratiques comme le curé, le gros dentiste au nez violet, l'inspecteur Leblanc, les commissaires, et quelques personnes anonymes dont nous tairons ici les noms à la demande de la livreuse elle-même...

Plus le commerce florissait, plus la Pipette se débattait avec son Ti-Roland, qui ne débraisait jamais, étant trop occupé à vider les bouteilles pour la baiser ou lui prodiguer quelques mots doux à l'oreille, une claque sur une fesse ou un simple petit geste dont toute amoureuse est normalement en droit de s'attendre de la part d'un amant pour le moins sentimentique et romantal, que dis-je? Maudite boisson... Sentimental et romantique... bon...

Pipette se débattait ensuite avec ses livreurs couvrant les villages avoisinants qui, plus souvent qu'autrement, partis pour une demi-journée, revenaient la semaine d'après sans argent... et sans boisson...

Plus le temps passait, plus Ti-Roland se faisait rare, au grand désarroi de son amour de vieille fille implorant tous les saints de le démariner au plus sacrant, de le dessaler de ce vice héréditaire qui ne manquerait pas de l'emporter comme sa mère par «cinq ou six roses du foie» à la tige acérée et aux épines alcoolisées de poison mortel et de repentirs vlimeux.

Ses visions devenaient de plus en plus répétitives et de longue durée... Couché sur le plancher, il se débattait comme un diable dans l'eau bénite, s'accrochant à sa fiole, s'arc-boutant à sa Pipette en criant qu'il voyait des bibites, plus souvent des grosses que des petites... des bibites qui l'attaquaient de partout, le portant à se gratter, à s'emporter des morceaux de peau, à se ronger les ongles d'orteils et quoi encore...

Des visions qui le laissaient à tout le moins pas très beau à voir, à sentir, à ourdir...

Malgré tout, sa soif allait toujours grandissant, il en était rendu à vouloir «boire la mer»... ce à quoi la Pipette, soumise et follement amoureuse malgré tout, rétorquait comme pour le déculpabiliser un peu: «En toué cas y pourront pas dire qu'y manque d'ambition, saudit verrat...»

Il ne manquait ni d'ambition ni de boisson à le voir se saouler jusqu'aux visions apocalyptiques le laissant un peu plus sans vie d'une fois à l'autre...

La soûlerie dura plusieurs années encore cependant que les visions devenues quasi insupportables forçaient le moribond à frapper sur les murs et sur sa Pipette, sur tout un chacun aussi, pour peu que l'occasion s'en présentât.

La vieille fille, de plus en plus endurcie à l'abstinence, aux coups et au commerce, continuait le négoce leur permettant malgré tout de bien vivre, n'eût été ce vice maudit de Ti-Roland lui ravissant jusqu'à la bandaison qu'elle recherchait tant...

En revenant d'une livraison chez monsieur le curé, elle trouva son homme, ou du moins ce qu'il en restait, inconscient sur la table de la cuisine, les yeux ouverts et la bave à la gueule, respirant avec difficulté, secoué qu'il était par d'innombrables soubresauts menaçant de le jeter par terre au prochain coup du sort.

À la hâte, Pipette retourna chez le curé qu'elle ramena dans la minute pour administrer les derniers sacrements à son concubin passablement amoché par quinze ans de robine à plein temps. Quand ils arrivèrent, le soûlon avait ouvert les yeux mais respirait toujours avec beaucoup de difficulté. Il sembla reconnaître la maîtresse d'école et mit sa main dans la sienne, puis, avec peine, d'une voix affaiblie, il laissa échapper à son intention:

«J'ai... une... vision... la
plus... belle... de... ma... vie... j'ai...
la... vision... de... tout
c'que... j'ai... bu... dans... ma... vie...»

La vieille serra son jeune sur son coeur malgré l'odeur repoussante qui l'invitait à se retirer avant d'implorer le soûlon à livrer son message, le contenu de cette vision qui ferait peut-être... que sa vie n'aie point été qu'un vain sacrifice sans rémission...

En des souffles profonds et saccadés marquant la fin, Ti-Roland laissa tomber: «C'est beau... grand... pis creux comme c'est pas disabe... Tout est là... y manque rien... Des montagnes de bouteilles vides, des volcans crachant la broue de trois éternités frelatées, des cimetières de cruches à deux anses... des cours à scrap de bouchons rouillés où flottent les voiliers de la Molson avant de couler à pic dans la raîche d'une bagosse de trois jours... des milliers d'éti-quettes racornies de remords et d'incer-titudes, des têtes de morts, des feux d'enfer, des bêtes à cornes, des pleines goélettes de mal de coeur... échouées le long des côtes de la baie de Tempérance... pis comme une belle apparition... ma mère au travers de tout ça... avec ses belles tettes gorgées de vin rouge et de sevrage sur le tard, tièdes de Bordeaux et d'ancêtres-biberons par douzaines... c'est quasiment trop beau tout d'un coup pour être vrai... j'en ai jamais vu tant tout d'un coup... j'pense que chu rendu trop loin pour revenir c'te fois-là...»

«T'es pas seul à l'penser...» susurra Pipette comme pour elle seule avant d'ajouter: «C'est ça qu't'appelles une belle vision, toi... moi j'trouve que ça s'rapproche en saint père des ivrognes du délirium tremens...»

«Never mind le délérium-très-mince, j'te dis qu'c'est ça qu'j'ai vu...»

La défroquée poussa un long soupir traînant donnant à penser que le meilleur était encore à venir...

À nouveau le moribond fermait les yeux en se cramponnant à la table de la cuisine comme à un radeau de fortune sur une mer démontée en criant: «J'en ai une autre... pis c'te fois c'itte, j'ai ben peur que c'est la bonne...» Il se tordit en poussant un râlement de fin du monde avant de plonger dans ce qui semblait être une forme de coma pour le moins difficilement identifiable... Quand il sortit de sa torpeur, il avait peine à respirer, chaque parole qu'il prononçait semblait être la dernière...

L'amourachée priait de toute son âme pour que son soûlon ne trépasse pas sans livrer le secret de la vision... quand soudain, il se souleva sur les coudes en faisant du même coup craquer la table menaçant de s'effondrer, en faisant de ses bras amaigris des gestes de rameur perdu en plein océan...

des gestes démesurés... des gestes de païen pendant la conversion... des gestes de godilleux désespérés, en lançant comme ultime bouteille à la mer... le contenu de sa vision dans un langage rempli de poésie et d'ivresse paradisiaque, d'une voix rauque et mal assurée... rendue trop loin pour rebrousser chemin... une voix qui «passe» du côté de l'expiation et des flammes fourchées en lançant comme une bouée à la mer ce contenu de vision cauchemardesque, cette mouvance à bout d'yeux, le contenu de la soif démoniaque de toute une vie... fermentée dans quelques mots noyés de prose et d'au-delà se résumant à ceci: «chu rendu au large pis j'vois pu la terre...»

Paire et maire tu honoreras

L'abeille et la guêpe
sucent les mêmes fleurs,
mais toutes deux ne savent
pas y trouver le même miel...

Midas Bérubé était pêcheur de son métier et comme une profession aussi noble ne dure guère plus de cinq mois par année, il faut voir à rouler ses manches d'une façon ou d'une autre pour boucler l'année en bonne et due forme, surtout quand la famille compte dix enfants et bien des dettes...

Et comme l'ouvrage est plutôt rare en Gaspésie en hiver... plus souvent qu'autrement, il faut se résoudre à prendre le bois pour jeter son dévolu sur les épinettes noires et les bouleaux de la Côte-Nord, dans l'espoir de pouvoir ainsi gagner quelque chose à mettre sous la dent de la tribu affamée.

Depuis qu'il avait l'âge de suivre son père aux chantiers, Midas, année après année, avait décroché son pack-sack et tourné le dos à la mer, à l'anse de ses amours déjà frazilleuses de Toussaint et d'hivernances.

Si les premières années, il avait toujours hâte de ranger les agrès en refermant la porte de la saline sur une saison plus ou moins exploitable, depuis qu'il était marié, l'aventure commençait à lui peser de plus en plus. Il s'ennuyait bien sûr de ses enfants, ses «enfins» comme il les appelait avec beaucoup d'appartenance en sa voix chevrotante.

Ses «enfins» qu'il avait peine à voir grandir tant la vie le promenait à hue et à dia comme un cheval de trait et à laquelle il ne pouvait que se soumettre comme bonne bête de somme à l'aise dans son collier d'obligations.

De ses «enfins» bien sûr il s'ennuyait pendant ces longs mois d'hiver à se faire manger par les poux en s'affilant à la main du décours de lune... mais plus que tout... ce qui lui rendait la partance de plus en plus cruelle, c'était de se faire à l'idée d'être cinq mois sans accoster son Yvonne, sa «Vovonne tant désirée» comme il se plaisait à la nommer bien affectueusement en lui mangeant les oreilles de part en part.

Sa «Vovonne» aux vertus maléfiques, au haut de cuisses de toute première importance, à l'amounettage facile de boette et d'effilottage... à l'amounettage diacre sous-diacre, au roucoulement de chute en montagne, au pelage de carcajou des bois, à l'haleine brûlante de dragons disparus, à l'entortillage de pieuvre qui aurait fait caler n'importe quel maquereau de terre en ses eaux, d'un simple roulement de l'oeil en l'orbite, d'un coup de hanche affilé au sixième sens de l'état second de l'ordre tertiaire à l'édredon faraud et valonneux comme bosses de chameaux après la traversée de trois déserts mis boutte à boutte pour le simple plaisir de se tremper l'embouftage en bonne et due forme de soeur économe...

Cette année-là pourtant, malgré bien des subterfuges pour échapper à «la pelle de la race», Midas avait dû se résoudre, faute de mieux, à braquer pour Shelter Bay avec Méo à Thomé, Odina, Roger Audet et plusieurs compagnons d'infortune tout aussi déboutés que lui, mais tout aussi investis «du sens de l'honneur» qui dit qu'un chef de famille doit voir à nourrir et vêtir convenablement femme et «enfîns»...

Pourtant il était passé bien proche de se coller la vertu à demeure, n'eût été du maire, le maniganceux Claude Allard qui lui avait tiré le tapis sous les pieds pour faire engager à sa place son beau-frère John Thibeault comme contremaître des travaux d'hiver de Carleton-sur-Mer, pour ne pas dire Carleton-sur-Maire... tellement cette canaille d'élu du peuple tirait la couvarte de son bord, réchauffant par le fait même ses alentours... moyennant pourcentage il va de soi... désabriant ses opposants en les confiant à l'exil qui n'est en somme, et de droit, que la suite logique à tout opposant au régime en place d'un bout à l'autre du globe depuis la nuit des temps, l'avant-veille d'autrement...

Midas n'y avait vu que du feu, prétextant que ce travail lui revenait de droit en tant que cabaleur en chef du député Arseneault lui ayant promis «du travail tant qu'il en voudrait» une fois élu, avant de disparaître habillé en ministre, emportant ses pro-messes à la Chambre la plus commune, la Chambre des putains, des Marie-couche-toi-là et des pots-de-vin vinaigré de trafic d'influence et de pelotage à deux mains.

Midas avait fait une croix dessus en se disant qu'il verrait bien dans quatre ans... le temps de lui chier dans les mains de verte façon... et pour ce qui était du maire, il se chargerait d'en faire son affaire au retour des chantiers, puisque pour le moment il avait d'autres haches à affiler et drôlement plus coupantes...

Des haches de survie, toujours rouillées d'avance, des outils sans fierté incapables de garder leur coupe d'une génération à l'autre...

Les enfants se faisaient de plus en plus mielleux au fur et à mesure que le matin des neuves partances échevelait le calendrier déjà jauni d'ennuyances depuis l'envol de sa première page.

La Vovonne pour sa part, bien qu'elle répondait «poliment» aux assauts répétés de son Midas pressé de faire ses provisions d'amourachage, semblait de moins en moins chaude à l'idée de s'arc-bouter nuit après nuit au mât de cocagne de son mari fidèle pressé de porter l'assaut final, en gage d'amour et de charité bien ordonnée... qui est pourtant assez claire sur le sujet, ayant recours pour ce faire, il va sans dire, au complément direct et circonstanciel rêvant d'orteils croches et de septième ciel.

Jusqu'au matin où Midas prit le train, hache et boxa au dos, en chantant: «Viens mon argent... va-t'en ma santé...»

Ce qu'il n'était pas en mesure de savoir, c'est que sa Vovonne n'était pas triste de le voir partir cette année-là, contrairement aux autres où elle avait bien du mal à accepter que sa couche fût désertée si longtemps par Midas qu'elle aimait par-dessus tout en d'autres temps...

Mais ces exils répétés, ces bouches à nourrir, ces enfants nombreux et criards à ses jupes pendus cinq à six mois durant avaient fini par peser drôlement lourd à ses jupons effilochés de femme mal ra-monée.

C'est justement pour pallier à ce manque de brassage de couvarte, ce rare ramonage que Vovonne s'était entichée... du maire de Carleton-sur-Mer... et c'est à sa demande qu'il avait fait engager son beau-frère comme contremaître des travaux d'hiver, question tout simplement de mettre un peu de dis-tance entre l'oeil et la manigance, entre la chair et la ganse, le cher et l'élégance...

Si Midas avait eu plus de mal que par les années passées à reprendre le collier du chantier, à se refaire aux paillasses récal-citrantes, aux poux et à l'odeur d'une tribu de mâles en rut en proie aux pollutions nocturnes et à l'usage de la varlope pour toute consolation, Yvonne pour sa part s'était remise de son veuvage la nuit suivant le départ de son illustre Auguste vers la

Côte-Nord, question de ne pas laisser cicatriser ce verbe fait chair qu'elle prenait soin de conjuguer à tous les temps, aussi bien imparfait qu'antérieur en se logeant l'impératif du maire Allard dans le haut des cuisses d'un passé simple n'ayant rien à envier au subjonctif de l'inconscient de son cocu de mari occupé à gagner la vie de sa tribu en bûchant sa peine sur les troncs les plus coriaces se trouvant à sa portée.

C'était assurément là le plus beau quorum que le maire Allard avait connu en dix ans de règne. L'harmonie parfaite quoi, pas de période de questions, ni d'ajournement, encore moins de résolution, de «porter à votre attention», de parfait d'comté et de toute la sainte chibagne de la batterie de cuisine municipale toujours collée au fond de n'importe quel chaudron, pour n'importe quelle raison, d'insignifiance suprême et de crêpage de chignon entre Josué Saint-Laurent, Ti-Nesse à Pierrot, Paulu à Cola et autant de scélérats et de jalousereux que la municipalité était en mesure d'en compter.

Ici les séances étaient tout autres et combien plus agréables...

Des nuits complètes à effeuiller le code municipal des sens profonds... à discuter

sur la taxe d'amusement... les soubresauts... et les cahots... que le maire s'em-
pressait déjà en acte et en paroles de
combler selon son bon vouloir et celui de
sa «teneuse de plume»... n'en déplaise à
ceux chez qui le va-et-vient posthume des
chantiers avait remplacé les pollutions
nocturnes et le lait d'beurre.

Et comme tout va-et-vient qui se respecte, toute graine bien logée... ce qui doit
lever lève, ce qui doit germer germe, qui
doit enceinter enceinte, envers et contre
tous, à l'oeil et à la bouche des principaux
intéressés qui s'en voient à la fois heureux
et apeurés.

Apeurés à la seule idée que si Midas est
cocu il est diablement trop intelligent pour
ne pas savoir compter jusqu'à neuf... et
que lorsque le bébé naîtra... il n'y aura
que cinq mois que le mari aura été de
retour... et qu'en matière de prématuré...
on a déjà vu mieux... si vous voyez ce que
je veux dire...

Le maire est vraiment dans tous ses
états... il a beau fouiller son code de déon-
tologie, son bréviaire municipal, les pages
du vieux calendrier où la lune apparaît,
mince, cornue ou en rondeur, il n'y com-
prend rien, d'autant plus que «les capotes»

ont toujours été au rendez-vous... et si c'était encore un coup de Fécolé avec sa marchandise de mauvaise qualité, avec ses sachets éventés... comme ça c'est déjà vu dans les bas...

«Never mind, de maudit gadame... j't'avais dit aussi de garder le meilleur de ta chaleur pour les draps... c'est encore moi qui t'a épongé maudit calvair' avec la «résolution» qu'tu connais... quoissé j'vas faire de t'ça moi asteur... pis j'aime aussi ben pas t'faire penser à quoicécé qui va t'arriver la journée qu'le chat va sortir du sac, surtout qui t'portait pas dans son coeur, depu' l'coup d'cochon des travaux d'hiver...

«Chu pas mieux qu'morte, c'est dit tu suite... faut trouver d'quoi pis ça presse... pis la sauvagesse, au jus d'branches... là de Maria, tu sais ben qu'chu pu d'un âge pour jouer à ça...»

«C'est ben ça qu'est le pire, Immaculée-Contraception... priez pour nous pauvres jouisseurs...»

«Reste toujou' le docteur Marin...»

«Le pire c'est qu'c'est ben tout c'qui rest'...»

Ce qui fait que, sans perdre de temps, Yvonne alla aux nouvelles...

Bien calée dans le vieux fauteuil de velours côtelé et déteint du docteur Marin,

Yvonne à Midas, dans un état trahissant sa grande nervosité était impatiente d'entendre le verdict du gros docteur...

«Félicitations, chère madame Bérubé, vous voilà «repartie» pour un onzième... une belle famille canadienne-française... c'est messieu' l'curé qui va être fier de vous... Mais pourquoi n'être pas venue me consulter plus tôt aussi, déjà deux mois que ce petit être ronfle en votre panse et vous gardiez ça pour vous... Vous me paraissez nerveuse... qu'est-ce qui se passe madame Bérubé, je vous connais trop bien pour vous avoir accouchée depuis vos débuts, pour ne pas m'inquiéter de vous savoir en si piètre état...»

— C'est qu'mon Midas est au chantier...

— Et après? Ce n'est pas un fait nouveau.

— C'est qu'ça fait juste un mois qu'il est parti... et vous dites que j'ai deux mois de fait...

— Je crois que je vois où vous voulez en venir brave Yvonne... Vous avez couru la mi-carême à ce que je peux en déduire...

— Comme vous dites messieu' l'docteur... chu pas mieux qu'morte... j'sais pu quoi faire... y' arait-y ben pas moyen de moyenner, vous pensez-t'y pas... vous un si grand coeur... pensez que si vous faites rien, vous aurez p't'êt' ben un meutre su' la conscience au printemps, avec dix orphelins à placer...

— Vous me mettez, je le crains, dans une situation bien délicate... Midas est mon ami... et je voudrais bien vous aider... Revenez demain et amenez-moi votre plus jeune, je verrai alors ce que je peux faire pour vous tirer de ce faux pas...

Yvonne regagna sa mansarde un peu soulagée à l'idée d'avoir trouvé un allié en la personne du docteur Pilule, ainsi nommé à cause de sa grande générosité pilulale; néanmoins, elle n'était pas sans se questionner sur le pourquoi de la requête du docteur lui demandant de lui amener le petit Étienne âgé d'un an à peine...

Elle fit comme il avait dit... comment faire autrement d'ailleurs?

De son côté, le docteur ne put fermer l'oeil de la nuit. Il s'en faisait un véritable cas de conscience. Il y allait du ménage de cette dame qu'il affectionnait tout particulièrement, victime d'un moment d'égarement, il y allait de son Midas de mari, son braconnier d'ami, et de l'honneur du maire, aussi couillon soit-il, et de la municipalité de Carleton-sur-Mer si chère au toubib.

Ce n'est qu'au petit matin, un peu gris de café-cognac, qu'il avait trouvé la solution qu'il croyait miraculeuse... du moins à l'échafauder ainsi dans sa tête de vieux faiseux de miracles qui en avait vu bien d'autres et des autrement plus coriaces.

L'Yvonne se pointa comme prévu au rendez-vous le lendemain, à la fois anxieuse et soulagée de la promptitude avec laquelle le médecin traitait «sa cause» si peu noble fût-elle...

— Voilà, chère madame, je crois que j'ai trouvé... J'hospitalise aujourd'hui même le petit Étienne. Entre vous et moi, cet enfant est mourant... méningite aiguë... J'envoie du même coup un messager, télégramme en main porter la nouvelle à votre mari avec l'ordre formel de descendre aussi vite qu'il peut de ses chantiers maudits s'il veut revoir son enfant vivant... Je garde l'enfant une semaine ici entre la vie et la mort... et pendant ce temps... nul n'est besoin de dire qu'il vous faudra passer vos nuits à travailler pour la patrie au creux du lit. De toute façon, il sera affamé et vous vous déblâmerez sur le fait de votre peine, de votre inquiétude, de son absence prolongée pour vous emboufter deux à trois fois par nuit... de façon à créer un alibi valable pour l'enfant que vous portez et dont il aura toutes les raisons de croire qu'il est le père...

— Vous oubliez le «prématurage»...

— J'oublie rien du tout, j'y ai pensé aussi... je me chargerai de lui faire avaler la couleuvre, après tout ce ne sera pas la première fois qu'un enfant vient au monde deux mois avant son temps...

Tout ce que je vous demande, c'est de faire votre travail... dès son arrivée... pour le reste, laissez-moi faire le mien sans vous inquiéter... mais n'oubliez pas que le «vôtre» est partant... beaucoup plus important que le mien...

La Vovonne n'avait pas besoin d'en entendre plus pour changer ses draps et parfumer la chambre aux odeurs de sainteté et d'ennuyances...

Ce n'était pas le moment pour elle de manquer son coup au nom d'une petite vite barattée à la mitaine, que non! Il faudrait faire durer le plaisir un peu comme dans les films ne finissant plus de finir, où les gémissements prennent le plancher par devant, par derrière...

L'Yvonne n'eut pas grand temps de fourbir ses armes, puisque deux jours plus tard son Midas faisait irruption dans «sa cabane au Canada», blanc comme un drap, sévère comme une extrême-onction...

Sans souffleur ni répétition, Yvonne lui tomba dans les bras en pleurnichant et en l'entraînant de l'oeil et de la patte dans la chambre à coucher, question de conjurer le sort tout en baptisant ce p'tit nouveau à la crème du pays d'un Midas cocu au troisième degré...

Sans prendre le temps de lui expliquer quoi que ce soit, la voilà au pied de son bûcheux, à lui extirper le mal tout en rondeur de sa salopette pleine de gomme de sapin et d'odeurs pour le moins pas très orthodoxes.

Et voilà qu'elle l'embouche à pleines babines, des boules et du cornet, comme une glace à la vanille au chaud d'un juillet pour le simple plaisir de se rafraîchir les lèvres et la langue...

Mettant cet appétit féroce sur le compte de la pleine lune et d'une absence écourtichée par la maladie, Midas en oublie son petit et se laisse entraîner comme par-devers lui au beau mitan du lit parfumé de lilas et de frissons de chair, le temps d'un trois fois passera... la dernière... la dernière... trois fois passera... la dernière y restera...

Pour rester, y va rester... comment pourrait-il en être autrement, maintenant que le corps de sa moitié lui a délié le cordon de la bourse pour son plus grand bonheur tout autant que pour l'honneur de la patrie.

Et pendant des heures paraissant une éternité, les deux tourtereaux retrouvés ébauchent des figures géométriques tenant de positions savantes et de contorsions rarement vues au cirque... À croire que l'éloignement a réellement du bon...

Une fois le citron pressé jusqu'au noyau, Midas se lève, l'argument rougi par une langue qu'il ne savait pas si déliée... laissant sa Vovonne se replacer les pamplemousses dans le sens de la soucoupe pour ne pas dire de la sous-croupe et de la «seinteté embrassiérée»...

Maintenant que le langage du corps a tout dit ce qu'il avait à dire ou à peu près, le couple se harde en propre pour se rendre à l'hôpital juger de l'état du mourant...

Le docteur Marin, affable comme toujours, les reçoit d'un ton neutre, prenant Midas à part pour lui dire qu'il a tenté l'impossible... que seul un miracle à présent peut sauver l'enfant... qu'il faut prier beaucoup... et surtout prendre soin de

l'Yvonne... en proie à une dépression nerveuse... il faudra la couvrir, la blottir, la
botter, l'encourager, bref la cajoler en gestes
et en pensée et puis... puisqu'il faut entrevoir le pire... en profiter pour remplacer cet
enfant mourant, en en logeant un autre au
creux de ce ventre de femme qu'il Yvonne
par-dessus tout.

Sitôt dit, sitôt fait... Midas ne tient pas
à tout perdre, faute du chou il s'abattra
sur la chèvre...

Même que l'on dirait que nos deux tourtereaux en sont plutôt à une lune de miel
qu'à une possible veillée au mort.

Pendant ce temps le petit Étienne est
traité aux petits oignons, même qu'il ne
s'ennuie pas du tout... tellement occupé
avec tant de jouets et de bonbons qu'il en
oublie le reste...

Au bout de quatre nuits blanches que
Midas a passées à repousser une dépression au ventre de l'Yvonne, quatre nuits
interminables à équitationner le pi quatorze
seize de sa femme au cube, le toubib fait
demander les amoureux reconquis pour
leur apprendre par la bouche de sa science
que l'enfant est guéri... miraculeusement...
sûrement un coup du Très Haut qui a reçu
les prières du couple proférées à longueur
de nuits blanches envaselinées de râle-

ments et de coups d'langue sur babines cassées...

Sur-le-champ, Midas se rend au presbytère faire chanter une grand-messe en remerciement pour avoir sauvé cet enfant de sa chair et aussi... et surtout... pour que son Yvonne conserve à tout jamais ce fringuage qui en fait une amazone des plus redoutables que Midas en bon stud digne de sa race aime à prendre par la bride du va-et-vient pour traverser les champs orgasmiques de la position du missionnaire et de «la chevrette», en mal de fromage caillé...

La réalité retombe sur ses pieds aussitôt que Midas réalise qu'il lui faut regagner les chantiers à défaut de perdre cet emploi, ce qui les mènerait à crever de faim avant longtemps.

La mort dans l'âme, Midas redisparaît jusqu'au printemps, au grand soulagement de son Yvonne qui commençait à trouver «qu'un pareil ébranchage la laisserait sans vie avant longtemps...»

Mais comme ce qu'il fallait faire avait été fait, ne restait plus qu'au temps maintenant à faire des siennes en finissant de rondir ce bedon confortable, habitué à entasser la vie entre ses parois de chair à toute épreuve.

Dès son retour au chantier, Midas s'appliqua corps et âme, chose qu'il n'avait jamais faite, à écrire de longues et tendres missives à son Yvonne réincarnée pour la circonstance, lui disant son amour retrouvé, son carême de varlopes de plus en plus insoutenables et autant de belles promesse à venir qu'elle était capable d'imaginer.

C'est que tout de suite après le départ du mari, messieu' le maire avait tenu à reprendre «ses séances de conseil spéciales» comme il appelait ces rencontres fortuites au bout du banc Larocque dans la vieille Météor noire au derrière à tout le moins aussi écrasé que celui de son propriétaire.

Au mois de mars, Midas reçut une lettre parfumée au lilas où son Yvonne lui annonçait la venue d'un joli poupon, né prématurément... trois mois avant son temps... qui se portait à merveille... le docteur Marin y avait vu comme toujours en faisant des miracles, il lui avait sauvé la vie...»

Midas était si heureux qu'il eut toutes les misères du monde à finir sa runne dans les chantiers, tellement cette doublure de chair lui manquait jusqu'en son âme convertie sur le tard.

Quelque temps plus tard, Midas était de retour au village, fier comme un paon de son coup de queue... qu'il pavanait de tout bord et tout côté comme si c'était le premier...

Tellement heureux qu'il pensait son bonheur contagieux à voir les gens sourire à sa seule vue, comme si la chose avait en soi quelque chose de «comique»...

Midas mettait cela sur le compte du «miracle...»

L'enfant grandit comme les autres dans le silence des secrets... sans que le mystère ne soit jamais dévoilé.

Le docteur Marin y avait vu, par respect pour son ami d'abord et aussi par souci d'éviter un scandale qui aurait tôt fait de dégénérer en meurtre à répétition...

À la mort du maire, qui sembla laisser Yvonne inconsolable, le docteur proposa de présenter comme remplaçant, «le darnier à Midas», de retour au village après un cours classique à Rimouski, qui avait fait de lui un notaire empotironné...

Avec des antécédents ne mentant pas en matière de «capacité et de salissage de mains», Noré remporta la victoire en criant ciseau...

Il mourut à son tour à l'âge de soixante-dix ans, toujours en poste, ayant eu le temps entre temps... il va de soi... de rempoter ici et là, la graine midasséenne, question tout simplement de jeter les bases d'une municipalité régionale de comté porté sur la chose qui n'aurait pas à s'inquiéter du taux de dénatalité pour quelque temps encore...

Ce livre,
format Colombier in-octavo,
composé en bookman corps 12
et orné de quatorze illustrations originales
de Stéphane Poulin,
a été imprimé à Montréal
en l'an mil neuf cent quatre-vingt-dix
sur les presses des ateliers Lidec inc.
pour le compte de
Guérin littérature
grâce à l'aimable collaboration
de ses artisans.